Para

com votos de paz.

DIVALDO FRANCO
POR DIVERSOS ESPÍRITOS

Crestomatia da Imortalidade

Salvador
6. ed. – 2020

©(1969) Centro Espírita Caminho da Redenção – Salvador, BA.
6. ed. (1ª reimpressão) – 2020
800 exemplares (milheiro: 22.300)

Revisão: Plotino L. da Matta
Lívia Maria C. Sousa
Editoração eletrônica: Marcus Falcão
Capa: Cláudio Urpia
Coordenação editorial: Lívia Maria Costa Sousa
Produção gráfica:
LIVRARIA ESPÍRITA ALVORADA EDITORA
Telefone: (71) 3409-8312/13 – Salvador (BA)
Homepage: <www.mansaodocaminho.com.br>
E-mail: <leal@mansaodocaminho.com.br>

Dados Internacionais de Catalogação na Publicação (CIP)
(Catalogação na fonte)
Biblioteca Joanna de Ângelis

F825	FRANCO, Divaldo Pereira. *Crestomatia da imortalidade*. 6. ed. / por diversos Espíritos [psicografado por] Divaldo Pereira Franco. Salvador: LEAL, 2020. 272 p. ISBN: 978-85-8266-225-0 1. Espiritismo 2. Psicografia 3. Mensagens doutrinárias I. Franco, Divaldo II. Diversos Espíritos III. Título CDD: 133.133.370

DIREITOS RESERVADOS: todos os direitos de reprodução, cópia, comunicação ao público e exploração econômica desta obra estão reservados, única e exclusivamente, para o Centro Espírita Caminho da Redenção. Proibida a sua reprodução parcial ou total, por qualquer meio, sem expressa autorização, nos termos da Lei 9.610/98.

Impresso no Brasil
Presita en Brazilo

Sumário

I – Pórtico 9
II – Considerações 13
   Léon Denis

1. Apelo do livro nobre 29
   Amélia Rodrigues
2. Recordando Allan Kardec 33
   Vianna de Carvalho
3. Atualidade da Doutrina Espírita 37
   José Petitinga
4. Oferenda 41
   Aura Celeste
5. O Além-túmulo 45
   João Cléofas
6. Suicídio 49
   Caírbar Schutel
7. Evocação 51
   Amélia Rodrigues
8. Educação e Espiritismo 55
   Lins de Vasconcellos
9. Perante o corpo 59
   Carneiro de Campos
10. Bagatelas 63
    Scheilla
11. Espiritismo 67
    Francisco Spinelli
12. O Evangelho segundo o Espiritismo 71
    Vianna de Carvalho

13. O Evangelho e o lar 75
Aura Celeste

14. Maternidade e Espiritismo 79
Léon Denis

15. A vaidade, o Evangelho e o discípulo 85
Pe. Natividade

16. Falando à fé 89
Aura Celeste

17. Intercâmbio e mediunidade 93
João Cléofas

18. Na seara espírita 95
Lins de Vasconcellos

19. Mensagem de encorajamento 99
Scheilla

20. Kardec, o codificador 103
Vianna de Carvalho

21. Templo espírita 107
Djalma Montenegro de Farias

22. Oração pelo pequenino 113
Amélia Rodrigues

23. Evangelização espírita 115
Francisco Spinelli

24. O anjo do auxílio 119
Eurípedes Barsanulfo

25. No serviço do passe 123
Aura Celeste

26. Aos médiuns 127
João Cléofas

27. Necessidade de estudo 131
Lins de Vasconcellos

28. Esqueça... Esqueça... 135
Sheilla

29. Técnica de entender 139
Caírbar Schutel

30. Conversação espírita 143
José Petitinga

31. Com festa na alma 147
Amélia Rodrigues

32. As três sombras 151
Pe. Natividade

33. Lutadores incompreendidos 155
Eurípedes Barsanulfo

34. Ao semeador 157
Aura Celeste

35. Esses outros médiuns 161
João Cléofas

36. Em torno da saúde 163
Carneiro de Campos

37. A respeito de seu filho 169
Amélia Rodrigues

38. Luz inextinguível 173
Vianna de Carvalho

39. Prisões 177
José Petitinga

40. Orar sempre e constantemente 179
Amélia Rodrigues

41. Imprensa espírita 181
Lins de Vasconcellos

42. O Espiritismo 187
Vianna de Carvalho

43. Louvor, rogativa e gratidão 189
Aura Celeste

44. Em torno d'Ele 191
Djalma Montenegro de Farias

45. Na luta cristã 195
Pe. Natividade

46. Hino de louvor 197
Scheilla

47. Na bênção do corpo 199
    Carneiro de Campos

48. Mediunismo e sofrimento 205
    João Cléofas

49. Pedacinho de gente 209
    Amélia Rodrigues

50. Unificação 211
    Francisco Spinelli

51. Jornalismo e Espiritismo 215
    Lins de Vasconcellos

52. Apelo de aflito 221
    Amélia Rodrigues

53. Vencedores vencidos 225
    Carneiro de Campos

54. A Era Nova 227
    Vianna de Carvalho

55. Oração intercessora 231
    Aura Celeste

56. Discernimento 233
    Carneiro de Campos

57. Condição de felicidade 235
    Pe. Natividade

58. Homenagem 237
    Amélia Rodrigues

59. Em homenagem ao codificador 241
    Leopoldo Machado

60. Em torno da fé 245
    Lins de Vasconcellos

61. Esperança 249
    Joanna de Ângelis

Minibiografias dos autores espirituais 253

Pórtico

"Onde está, ó morte, a tua vitória? Onde está, ó morte, o teu aguilhão?"[1] inquiria o excelso Apóstolo dos Gentios, deslumbrado ante a evidência da exuberante Vida espiritual, após a disjunção dos tecidos materiais. Isso porque descobria, em toda parte e incessantemente, a vitória da vida e a morte da morte, ante a grandeza da fé renovadora de todo aquele que se abrasava no esplendor da aurora cristã.

Retornamos, também, após a sepultura, alguns discípulos de Jesus, que peregrinamos ontem nas tarefas do Cristianismo na Terra, para exaltar a plenitude da Imortalidade, ao mesmo tempo que, examinando diversos problemas da atualidade humana, nos permitimos considerar algumas sugestões e conceitos hauridos em reuniões de estudo no Mundo espiritual.

Alguns dentre os articulistas agora integrados nas lides do Movimento Espírita Cristão, da Espiritualidade para a Orbe, não fomos, enquanto no domicílio celular, discípulos do preclaro mestre lionês Allan Kardec, por termos

---

1. Coríntios, 15:55 (nota da autora espiritual).

desencarnado antes que fulgissem nos horizontes do mundo as luzes do Espiritismo. Anteriormente militávamos no sacerdócio, vivíamos em monastério ou estávamos entre os seculares da Igreja Romana, tudo fazendo, no entanto, enquanto ali mourejávamos, por viver as excelências inconfundíveis das lições do Mártir Galileu, aplicadas ao dia a dia da existência física.[2] Desencarnados, acompanhando o progresso da Terra e sentindo as transformações que se operavam entre os homens com a chegada da Codificação espiritista – abençoado renascimento do Cristianismo das horas primevas –, fomos chamados a incorporar-nos às falanges dos estudiosos da Doutrina egrégia, tendo em vista o roteiro da nossa redenção própria e as tarefas do futuro...

Os apontamentos que hoje trazemos enfeixados em livro – algumas destas páginas foram, oportunamente, divulgadas pela imprensa espírita e leiga, apresentando-se, agora, após revisadas e atualizadas pelos seus respectivos autores para melhor harmonia do contexto – são o resultado de demoradas reflexões concebidas do *lado de cá*, que dedicamos como pálida homenagem aos estudiosos da atualidade, evocando o centenário da desencarnação de Allan Kardec, ocorrida em Paris, a 31 de março de 1869, que nos deixou precioso legado de obras, hoje clássicas do espiritualismo universal, onde se encontram diretrizes e consolo para todas as dúvidas e aflições que inquietam o espírito humano aturdido na hora presente.

---

2. "O Espírito progride igualmente na Erraticidade, adquirindo conhecimentos especiais que não poderia obter na Terra, e modificando as suas ideias. O estado corporal e o espiritual constituem a fonte de dois gêneros de progressos, pelos quais o Espírito tem de passar alternadamente, nas existências peculiares a cada um dos dois mundos." – KARDEC, Allan. *O Céu e o Inferno*. 19ª ed. Rio de Janeiro: FEB, primeira parte, cap. 3, item 10 (nota da autora espiritual).

Não houve, por parte de nenhum de nós, a preocupação de fazer literatura, de produzir peças de estilo ou trabalhar com excessivo zelo beletrista de modo a encantar o leitor sempre ávido por novidades e belezas. Firmamo-nos, sim, no objetivo de contribuir de alguma forma com as falanges do *Consolador*, depositando o nosso pouco *fermento* para *levedar* a *massa*, conforme a nobre parábola evangélica.

Não nos apresentamos como Espíritos livres e totalmente felizes, que não o somos, pois reconhecemos nossas imensas dívidas para com a Mãe-Terra; recordamos os compromissos vigorosos com o passado, uma vez que nós todos possuímos caras afeições reencarnadas em expressivas lutas de libertação, algumas das quais hoje vinculadas às hostes do Espiritismo.

Unimos os nossos esforços nesta *Crestomatia da Imortalidade* como pobres agricultores que, após vencidas muitas lutas, se rejubilam com os grãos da sega e os transformam em novas sementes e pães atirados respectivamente à gleba úbere dos corações e aos transeuntes dos caminhos do futuro. E assim fazemos por estarmos convencidos de que tudo procede do Senhor, a Quem rogamos transformar as nossas esperanças do presente em bênçãos para o porvir, como servos inúteis que reconhecemos ser.

Joanna de Ângelis
Salvador, 17 de março de 1969.

Considerações

No momento em que se avultam os problemas humanos e a dor alcança expressão jamais atingida, surgem de todos os lados soluções simplistas para o velho problema da felicidade, elaboradas, no entanto, com as fórmulas obsoletas da evasão do Eu à responsabilidade e do asfixiamento do indivíduo no imenso e gasto organismo do prazer.

Teóricos precipitados ressuscitam ultramontanos conceitos superados pelo conhecimento, que obstringem para conduzir, mas não esclarecem, e pensadores apressados inovam métodos que culminam na aceitação tácita da realidade, vivendo segundo esta e abrindo as comportas do desajuste social que compromete o lar e a família, afetando vigorosamente o homem.

A Psicologia, com a larga escala de experiência em torno da psique humana, parece soçobrar no mar revolto dos resultados negativos a que chegam as suas conclusões, aferrada como se encontra ao pragmatismo, sem elucidar os diversos enigmas que afligem e angustiam o ser, roubando-lhe a paz e a tranquilidade.

As religiões, desde ontem emparedadas em preconceitos já desusados, por mais procurem ajustamentos e modernismos, mediante conciliábulos inócuos, não conseguem atingir o íntimo dos fiéis, que debandam, em massa, para os caminhos sem rumo do materialismo nas diversas expressões em que se apresenta, grassando, vigoroso, em todos os departamentos culturais do planeta...

Em toda parte os altos índices da alienação mental alarmam psiquiatras e fisiopsicologistas.

A onda crescente de suicídios entre pessoas intelectualizadas, nos países altamente civilizados, inquieta os sociólogos e clérigos, administradores e filósofos honestos.

A delinquência juvenil e infantojuvenil arrasta multidões aos corredores da irresponsabilidade total.

A criminalidade desenfreada e as correntes volumosas do homicídio, na sua multiface (infanticídios, matricídios, uxoricídios etc.) não podem ser controladas pelas forças atuantes da lei nem corrigidas pela penalogia...

Entorpecentes, desemprego, ociosidade e frustração oferecem um espetáculo dantesco da atmosfera atual do mundo, como se o caos fosse o resultado próximo de tão lamentáveis desequilíbrios.

A nova ética se apresenta anárquica.

O sexo comanda as mentes, e os apelos vulgares à sexolatria desenfreada terminam em atentados ao pudor, às incursões no submundo da aberração moral e da aflição.

A desalmada carreira armamentista, ao lado dos pregões da paz fazem-nos recuar à História, que reflete friamente a glória das nações vencedoras do passado, logo depois vencidas e aniquiladas. Os homens que lhes ergueram hábeis honrarias e as conduziram ao abuso da fortuna e das próprias conquistas, se não fugiram pela porta nefanda do autocídio, sucumbiram na desdita da própria agressividade, vitimados em si mesmos ou reduzidos à miseranda condição de hilotas.

Mesopotâmios da Assíria e da Babilônia, que erigiram monumentos e passaram para o olvido, egípcios beligerantes e caldeus conquistadores, heróis de Esparta, todos eles deixaram os tronos sob labéus, que hoje estão reduzidos a pedras deslocadas, onde o gemido da noite chora a opulência ultrapassada.

Romanos e hunos, gauleses e bretões, fenícios e visigodos experimentaram os triunfos excepcionais e os sofrimentos que os galvanizaram no horror da desdita... E muitos deles, hoje nas cidades superpopulosas da Eurásia ou da América, da África ou da Austrália, repetem as mesmas loucuras dantanho, sem que as cruentas lições do passado – sinistro legado dos séculos – mereçam respeito ou consideração.

A moderna civilização, tecnicamente organizada, conquistou a máquina, deslumbrou-se e mecanizou a vida, reduzindo o homem a uma expressão numérica de nenhuma significação.

Embora os respeitáveis e valiosos esforços de um sem-número de abnegados construtores da sabedoria – profícuos líderes da esperança e pugnadores do espírito –, são a zombaria e o sarcasmo as recompensas que recebem, enquanto a disputa na arena das paixões reduz conquistadores poderosos a abutres e vencidos a abjeto espólio em decomposição cadavérica.

Afirma-se que a civilização ocidental se assenta no Cristianismo. E os templos religiosos, ostentando pompa, campeiam com aparente predomínio político e social, o que parece atestar a realidade do conceito, como se a cruz em que pereceu Jesus pudesse firmar-se em ouro sobre púrpura, para ser contemplada pelo atormentado ser que passa indiferente às questões fundamentais e transcendentes do Espírito...

Informa-se que as grandes massas budistas e maometanas, confucionistas e xintoístas do Oriente erguem o homem à condição espiritual; e desfilam as misérias da Índia, onde o ascetismo e a superstição grassam, da China atormentada, do Japão ocidentalizado, dos países varridos pelos conflitos civis e pela carnificina da guerra...

...E que dizer das ameaças dos chefes dos estados ditos cristãos ou dos estados-deus, das festividades orgíacas de exaltação à brutalidade e ao desvalor, das vulgaridades e das aberrações juvenis, das armas de longo alcance, das bombas de elevado teor destrutivo?!...

Em contrapartida, pode-se responder mediante a apresentação das conquistas na Mecânica, na Física, na Química, na Biologia, na Economia, na Astrofísica e Aeronáutica, na Ciência, enfim... Mas o homem, que nos importa essencialmente, o espírito humano, avança de muletas, quando não jaz na masmorra sombria do desajuste emocional.

Há o cinematógrafo avançado e a televisão, a eletricidade e a eletrônica a serviço do conforto, os jogos e divertimentos incontáveis... e os mísseis teleguiados, os satélites de sondagem espacial e os postos-espia-escuta para a deflagração da guerra...

Há, sim, a vitória do antibiótico, da vacina, da cirurgia, o *check-up*, as radioscopias, radiografias, os testes de laboratório para ajudarem... o corpo do homem...

Todavia, no turbilhão de todas as lutas e rudes batalhas há, também, o Espiritismo vencendo a morte, atestando a vitória do Espírito imortal, traçando rotas desde há mais de cem anos, consolando e trabalhando pelo homem integral, através de reconstrução (ou construção primeira?) do Cristianismo autêntico do Cristo e dos Seus apóstolos na gleba sáfara da atualidade.

I) Espiritismo e mediunismo

Embora a ancianidade do fenômeno mediúnico, a repontar vigoroso em todas as épocas, desde os povos primitivos e *bárbaros* até as civilizações mais avançadas, nos diversos e variados grupos sociais, sistematicamente aceito, sofreu, na Idade Média, repressão cruel, que culminava na pena capital infligida aos médiuns *bruxos*. No *Século das Luzes*, embora as conquistas valiosas do conhecimento, a mediunidade e o intercâmbio espiritual experimentaram repulsa, desdém acirrado e combate gratuito, como se o desprezar a enfermidade constituísse forma de erradicá-la, e o desdenhar o Sol contribuísse para cobri-lo de sombras.

Acontecimento surpreendente, merecedor de acurados estudos, a verdadeira explosão dos fenômenos medianímicos ocorreu exatamente quando Darwin, estudando o *milagre da vida*, e as ciências, em se libertando dos preconceitos, firmavam as bases do materialismo mecanicista e fisicista.

As conclusões do materialismo dialético, enfeixadas em volumes, recebia aplausos, e os movimentos acadêmicos prestigiavam os novos métodos de solvência das questões sociais e humanas, mediante o expurgo da burguesia, de Deus e da alma, das fórmulas religiosas, consideradas *ópio para as massas*.

As ideias ventiladas e defendidas pelos expoentes da inteligência, tais como Büchner, Moleschott e Vogt, repercutem vibrantes nos centros de cultura, enquanto a alma passa a ser considerada *uma sudorese mental*.

Em meio à falácia e petulância dos séculos, diante dos religiosos entibiados e *foragidos* dos redutos culturais, as manifestações mediúnicas trombeteiam *insilenciáveis* o advento da Era do Espírito Imortal. Não somente isto, reapareceram os *defuntos* que se permitem contato com os viventes da clausura carnal e facilitam a comunhão com os retardatários do caminho evolutivo.

Falam e expõem pensamentos considerados *mortos* que revivem com vigor as doutrinas secretas de priscas épocas.

Ensinam e aclaram os conceitos vigentes no fundo e na forma, ensejando conclusões jamais supostas, diretrizes antes nunca pensadas.

Concordam em essência, em toda parte, esses informes, quanto aos fundamentos da vida e são unânimes quanto às consequências morais depois do túmulo.

A princípio erguem mesas, para depois escreverem sem qualquer auxílio visível.

De experimentos aparentemente ridículos e de divertimento de pequena monta, inesperadamente tomam conta da Terra e proclamam o retorno de Deus, do Cristianismo, da fé e do amor então enfraquecidos por se encontrarem as expressões cristãs em quase total desagregação, como resposta consoladora aos afligentes e angustiantes quesitos da época.

Homens de caráter e inteligência vigorosa acatam esses fenômenos, após os examinar.

Entre esses, no entanto, destaca-se Allan Kardec, propiciando ao mundo atônito e em febre o Espiritismo Consolador que cumpre as promessas de Jesus...

Contudo, desde as primeiras horas, e apesar da sua longa jornada pelos labirintos históricos do pensamento, levantam-se suspeitas exageradas e incompreensões propositais, que formam férreo cerco com o objetivo de desacreditar as manifestações, manipulando o malho da impiedade e a bigorna do ridículo.

Passaram, evidentemente, tais zombadores, e os fatos que os fenômenos informavam permaneceram.

Janet, Flournoy e Grasset, apegados ao formalismo acadêmico, envidam todo o esforço para reduzir a arbitrariedades e desvarios do *subconsciente* todas as manifestações, e as situam, por deliberação pessoal, no *polígono cerebral* de Charcot e Wundt, acreditando-se credenciados ao combate implacável e destruidor.

Refugiam-se em manicômios e clínicas de psicopatas para dar caça à pesquisa, aliciando histéricos, esquizoides e desajustados para as experimentações...pressupondo ignorar que em tais estabelecimentos não poderiam encontrar, com justeza, sanidade ou equilíbrio.

E por mais incrível se possa considerar, com os resultados colhidos em tais redutos, estabelecem as diretrizes das suas conclusões, e confundem a mediunidade com a histeria, o fenômeno medianímico com a desagregação da personalidade, sem se permitirem o trabalho honroso de estudar, com isenção de ânimo, os médiuns, então em destaque, ou aqueloutros que, portadores de equilíbrio psíquico, são utilizados pelos Espíritos.

Investidos da pseudorresponsabilidade de cultores da flama da verdade, desencadeiam combate demolidor e desmoralizante, reduzindo médiuns e pesquisadores que com eles não concordam à condição de miserabilidade psicológica e perturbados da emoção, fazendo crer que as suas argumentações possuem a força do aniquilamento. E assim o fazem do pedestal respeitável a que foram conduzidos pelos títulos de serviço à Ciência.

Psicografia, psicofonia, vidência e audiência são reduzidas a alucinações psicológicas...

No entanto, pneumatografia, metafonismo, teleplasmia, telecinesia, psicometria, metergia, bilocação, metaglossia, psicoplasia, tiptologia, xenonoísmo, *apport*, criptografia,[3] pela impossibilidade de reduzidos a alucinações individuais ou coletivas, são taxados de *fraude*...

E nos excelentes fenômenos de xenoglossia e glossolalia,[4] suas conclusões dizem tratar-se de *memória subconsciente*, tudo simplificando e reduzindo, na teoria Metapsíquica, a nevropatias com que apavoram médiuns e simpatizantes do movimento nascente. E o *subconsciente* passa a ser dotado de poderes inimagináveis, conseguindo produzir façanhas que muitas mentes lúcidas reunidas não conseguem realizar.

Farsa ou fraude, demônios ou Satanás, subconsciente – eis as alegações formuladas...

Destacadas figuras do cenário intelectual promovem comissões que estudam os fenômenos, conhecedores profundos da Mecânica e da Química, explicadores das leis físicas apresentam controles, consultam-se saltimbancos e prestidigita-

---

3. *Pneumatografia* (escrita direta); *metafonismo* (voz direta); *teleplasmia* (manifestações ideoplásticas, materializações e desmaterializações); *telecinesia* (movimentos que se processam a distância, sem contato humano); *psicometria* (percepção de fatos relacionados a indivíduos ou ocorrências); *metergia* (deslocamentos de objetos); *bilocação* (desdobramento, projeção do duplo); *metaglossia* (ou psicofonia – palavra através dos órgãos vocais do encarnado); *psicoplasia* (moldagens, materializações, fotografia espírita); *tiptologia* (comunicação por meio de pancadas); *xenonoísmo* (manifestações espontâneas em que a Entidade espiritual se faz visível); *apport* (interpenetração da matéria: passagem da matéria através da matéria por interferência transcendental); *criptografia* (o mesmo que pneumatografia – escrita direta realizada pelos Espíritos, sem interferência direta do médium). Alguns destes termos foram criados por metapsiquistas dentre os mais célebres, como Myers, que tenta reduzir o fenômeno à condição de *memória subliminar*, Bret, Schrenck-Notzing, Sudre, Boirac, "em que a matéria parece exercer sobre seres humanos uma ação que não parece completamente explicável pelos métodos vigentes da Química e da Física e que parece, por consequência, revelar uma força irredutível a todas as que a Ciência tem estudado até agora".
4. *Xenoglossia* e *glossolalia* – manifestação de mediunidade poliglota (notas do autor espiritual).

dores... e os fenômenos escapam ilesos. Proclamam, então: não são fraudes!

Religiosos honestos, das imensas correntes espiritualistas do Cristianismo em diversos países analisam, estudam, experimentam eles mesmos e são instrumentos sensíveis, através dos quais se ressaltam as excelências das virtudes capitais, restituindo a Jesus Cristo a dignidade que teimam por tirar-Lhe. Depois, emocionados e convictos, declaram: não são demônios, nem é Satanás!

Fisiologistas e psicólogos fecham as portas a qualquer possibilidade de charlatanismo, levantam o *bisturi* da dúvida e dissecam as diversas peças do estranho organismo. Desanimados da negativa obstinada relatam, por fim: *são reais, não apenas possíveis, não são distonias mentais, são fatos!*

Inutilmente o combate prossegue.

Psiquistas frios e interessados mais no próprio nome do que no da Ciência da alma adiam os informes positivos e pedem, exigem mais fatos, mais provas e, quando estes superabundam, relutam, relutam...

Fossem de pouca resistência ou durabilidade transitória os fenômenos mediúnicos, a Doutrina Espírita, que deles resultou, graças ao inapreciável trabalho de Allan Kardec, por si mesma bastaria para sustentá-los e passá-los à posteridade dignos de respeito e consideração. Além disso, o Espiritismo, em si mesmo, por possuir intrinsecamente requisitos de sabedoria capazes de solucionar os indecifráveis enigmas da psique humana, sem os fenômenos, pois que deles prescinde, pode resistir a qualquer celeuma, apresentando diretrizes de felicidade e paz para o atribulado espírito humano.

II) Parapsicologia e Espiritismo

Embora o indiscutível empenho do Prof. Carlos Richet em tornar a Metapsíquica uma ciência capaz de elucidar fenômenos paranormais de forma cabal e definitiva, com a sua desencarnação todo o valioso esforço empreendido por décadas a fio de dedicação e pesquisa consciente, dando a tais fenômenos um corpo de doutrina homogêneo e rigorosamente científico, redundou inócuo, pois que, na atualidade, dessa ciência quase nada resta, por não terem os continuadores prosseguido em novas experimentações.

Os valiosos instrumentos do progresso têm continuado na sua tarefa construtora (e não poucas vezes demolidora), modificando a face de muitas conquistas e deixando no olvido incontáveis produções de incontestável significação cultural, científica e filosófica.

A Metapsíquica, no entanto, embora respeitável nos seus alicerces e no seu conteúdo pode ser considerada como constituída dos trabalhos produzidos por eminentes psiquistas que, a partir de Crookes, Bozzano, Lombroso e especialmente Richet se resolveram agrupá-los num estudo ordenado e num labor de equipe capaz de pôr cobro aos fenômenos inabituais, não explicados pela Psicologia normal, pela Mecânica ou pela Fisiologia convencionais.

Não há dúvida quanto ao valor da classificação dos fenômenos supranormais ínsitos ao mediunismo, apresentada por Aksakof em três grupos distintos: espiritismo, animismo e personismo, após considerados o mecanismo e suas causas determinativas, que foi, todavia, relegada sumariamente pelos conspícuos examinadores metapsíquicos, que em todos somente encontravam *vibrações*.

O codificador do Espiritismo, no entanto, fixado no caráter de imparcialidade, no estudo e no exame de tais fenômenos e à diretriz racional na pesquisa, através de medidas severas de austeridade e honestidade, reconheceu a necessidade de análise acurada para a competente seleção das comunicações anímicas daquelas espíritas, e nestas últimas, minudente observação quanto à qualidade dos Espíritos comunicantes e dos valores morais dos instrumentos mediúnicos...

Obstinados, sem embargo, nas ideias adredemente concebidas quanto à impossibilidade do intercâmbio espiritual – desde que aferrados a um materialismo chocante e crasso –, os metapsiquistas refutavam *a priori* toda premissa que pudesse conduzir à realidade espiritista.

Embora Richet, em admirável testemunho de sã consciência apelasse, dizendo que: *Tudo quanto ignoramos parece sempre inverossímil. Mas as inverossimilhanças de hoje tornar-se-ão amanhã verdades elementares*, não teve a audaciosa coragem de declarar em público a sua convicção na realidade dos *fantasmas*, sempre atormentado por dúvidas, mais resultantes do preconceito científico do que da realidade dos fatos, como confessara em carta particular,[5] passando à pos-

---

5. *A Revista Internacional do Espiritismo*, que se edita em Matão, Estado de São Paulo, no seu número 11, do Ano XVI, datada de 15 de dezembro de 1940, às páginas 263-264, transcreve a excelente tradução da "confissão" do Prof. Charles Richet a Ernesto Bozzano, feita para o português pelo Dr. Joaquim B. de Moraes, que, por sua vez, extraiu o fato da *Revista Constancia*, de Buenos Aires. O documento se refere a uma carta de Bozzano a Miss E. Maud Bubb, na qual se encontrava anexa uma cópia da carta de Richet, como reproduzimos:

"*Estimada Miss Bubb: Fiquei satisfeito ao saber que enviastes um extrato de minha carta a Psychic News, na qual dizia que nos últimos momentos de sua existência o professor Richet confessou sua crença no Espiritismo.*

Com o maior prazer envio-vos uma cópia da carta, na qual ele me dá a grata notícia. Foi como se segue.

teridade envolto em lamentável incógnita a respeito da legitimidade do princípio espiritual que anima a vida.

O ilustre mestre, catedrático de Fisiologia e *pai* da *Metapsíquica Humana*, contribuiu evidentemente para elucidar incontáveis fenômenos paranormais, não atingindo, todavia, o pórtico da Vida espiritual que de certo modo o atemorizava, mas que hoje desfruta e constata...

O seu discurso, na Faculdade de Medicina de Paris, despedindo-se da cátedra por impositivo da idade, em 24 de junho de 1925, traça uma síntese dos feitos e um programa, através do seu depoimento sério e enfático que, infelizmente, não foi continuado, ao menos sob a mesma rotulagem pelos pósteros.[6]

Com a quase desintegração das escolas metapsiquistas, nos últimos dias da década dos anos 20, surgiram inquietos

---

Como demonstração de apreço me ofereceu seu livro Au secours *com a seguinte dedicatória: "A mon savant et vaillant ami. E. Bozzano em toute sympatie croissant." (Ao meu sábio e valente amigo E. Bozzano, com toda crescente simpatia.) Como a palavra "crescente" estava grifada, fiquei surpreendido e satisfeito, pois tive a intuição de que a expressão dada a esse vocábulo tinha mais importância teórica que uma apreciação pessoal. Não pude subtrair-me ao desejo de mencionar isto ao Professor Richet, expressando-me com certa timidez, a esperança que tal palavra despertara em meu coração. Pela segunda vez respondeu-me com uma carta ao alto da qual se lia a palavra "confidencial".*

Eis aqui a cópia da carta:

"Confidencial" – Meu caro e eminente colega e amigo: Estou inteiramente de acordo com você. Não creio nas simples explicações, segundo as quais os incidentes de nossa vida e os percalços de nossa existência sejam devidos tão somente ao acaso; entretanto, isto não pode provar-se. Existe uma fatalidade, isto é, uma força que, por estranhos e tortuosos caminhos, nos induz e nos guia por onde quer. Por isso, no curso de nossa vida existem tão notáveis coincidências, que seria difícil não ver nelas alguma coisa, como uma intenção" (De quem? De que?)

E agora muito confidencialmente digo sinceramente a você. O que supunha, é verdade. Aquilo que nem Meyers, nem Hodgson, nem Oliver Lodge conseguiram realizar, obteve-o você com suas magistrais monografias, que sempre tenho lido com religiosa atenção. Elas oferecem um estranho contraste com as teorias obscuras que intumescem nossa ciência. Rogo-lhe queira aceitar meus sentimentos de simpatia e reconhecimento. Charles Richet."

6. *La Presse Medicale*, de 25.6.1925, número 51 (notas da editora).

cultores dos mesmos fenômenos, ansiosos por elucidarem antigas informações de caráter lendário que constituíam a história e o *folklore* de muitos povos, desde o registrado nos livros sagrados das religiões aos que se produziram entre e diante de insuspeitos observadores de todas as classes intelectuais, através dos tempos.

Il faut toujours, em expérimentation métapsychique, songer à la fraude[7] – assim afirmara o célebre mestre numa posição pessimista e de seguro descrédito, enquanto investigava, deixando uma permanente advertência em prol da suspeita constante para os investigadores do futuro.

As pesquisas, porém, tentando elucidar os múltiplos problemas da Psicologia e da Psiquiatria prosseguiram, no campo da Hipnologia e da Análise, abrindo horizontes sempre novos à investigação sem resultados concludentes...

Desde 1926, o Prof. William McDougall, eminente psicólogo inglês, afirmava que não havia razões para que a Ciência temesse enfrentar em campo aberto "as investigações paranormais", criando-se logo depois (1930), por sua inspiração e iniciativa, o primeiro Laboratório de Parapsicologia, que motivou a criação de muitos outros em inúmeras universidades da Terra, de imediato.

Funções e fenômenos *psi* passaram a experimentar *perseguição* incessante.

À semelhança do que ocorreu na Filosofia, no século XVII, quando René Descartes, o filósofo e matemático francês, apresentou o método – cartesianismo –, através do qual afirmava que: "Para alcançar a verdade é preciso, uma vez na vida, desfazermo-nos de todas as opiniões que rece-

---

7. "É sempre necessário, em experiências metapsíquicas, supor que haja fraudes." – Metapsíquica Humana – Cap. IV (nota do autor espiritual).

bemos e reconstruir de novo, e desde os fundamentos, todos os sistemas de nossos conhecimentos", método que o levou por intuição e dedução a descobrir a verdade da sua e da existência de Deus; os modernos *pais* das pesquisas psíquicas abandonaram todas as conquistas e resultados até então obtidos, considerando os recursos de que poderiam utilizar, para, então, tudo fazer ou refazer à luz das técnicas hodiernas e do conhecimento então vigente.

Utilizaram-se de palavras gregas, cunhando-se outras, sem qualquer tônica que pudesse conduzir a resultados já conhecidos, estabeleceram-se novos métodos de exame, tomaram-se precauções jamais pensadas e, fixados aos cálculos das "leis das probabilidades", encetou-se o respeitável afã de perquirir, examinar, testar, averiguar.

A princípio, através das cartas dos *baralhos* Zener ou Soal, enfatizando as experiências de precognição e retrocognição às de psicofobia, pirovasia[8] e outras, o campo foi ampliando-se e os resultados conduzindo às mesmas conclusões antes lobrigadas, embora a diferente trilha experimental percorrida.

Em princípio foi a confirmação científica da telepatia...

Depois, a medo, afirmações surgiram de que os defuntos vivem! A *reencarnação* triunfa da vida única! O homem é um Espírito imortal! – conclui-se, por fim, apesar da intolerância que ainda persiste neste particular, entre muitos investigadores.

---

8. *Psicobolia* – ação das forças psicocinéticas do *sujet*, atuando inconscientemente, enquanto este sonha.
Pirovasia – faculdade de andar descalço sobre brasas sem se queimar (nota do autor espiritual.

Da telepatia pura e simples entre os homens à telepatia entre a mente desencarnada e a encarnada, atestando de modo definitivo a independência do Espírito sobre o cérebro de que se utiliza temporariamente.

Evidentemente que a Parapsicologia – ciência ainda muito jovem no campo da experimentação paranormal – não tem opinião estabelecida, sendo um campo neutro, no qual se realizam estudos e labores que se alongarão por décadas a fio. Todavia, os parapsicólogos das diversas correntes da "psicologia com alma" e da "psicologia sem alma" trazem já a público o resultado dos seus trabalhos e observações repetindo as mesmas dificuldades dos metapsiquistas e dos psiquistas do passado, que, hoje ou mais tarde, irão encontrar na Doutrina Espírita, como aconteceu a diversos daqueles, a resposta única para todas as incógnitas que permaneceram na condição de desafio contínuo e tormentoso.

Funções e fenômenos *psi* ainda tão difíceis de classificados e definidos na moderna Parapsicologia encontram no Espiritismo expressões muito claras, perfeitamente lógicas e terminativas.

Assim considerando, o Espiritismo, conforme legou Allan Kardec à posteridade, constitui um marco histórico nas experiências paranormais da Humanidade, pois que elucida intricados quesitos filosóficos, éticos, sociológicos, étnicos e religiosos, enquanto oferece ao pensamento dos séculos porvindouros o pábulo salutar para a manutenção da vida, facultando a possibilidade de voos antes jamais sonhados pelo conhecimento, na direção do Infinito e da Imortalidade.

No momento em que o homem espera alunissar no satélite natural da Terra e simultaneamente sonda outros planetas do Sistema Solar, sonhando com galáxias, o Espiritismo, materializando a palavra bimilenar de Jesus, inspira e vivifica a nova Humanidade da Era melhor, do período porvindouro da paz e do amor pelo qual todos esperamos, levando-nos a entoar, desde já, o hino de esperança intérmina e júbilo incontido como faziam os antigos cristãos à hora do martírio, antes de ingressarem na Vida:

"*Salve, Jesus! Os que viverão sempre, te homenageiam e saúdam!*".

Léon Denis

1
APELO DO LIVRO NOBRE

Amigo:
Escute-me um pouco.
Sou fiel servidor da sua alma nos caminhos da evolução.

Corporifiquei-me, vencendo obstáculos da ignorância e dificuldades do orgulho para ajudá-lo.

Não me transforme em adorno secundário nas prateleiras das estantes da sua casa.

Nunca o importunarei!...

Minha voz chegará ao seu cérebro somente quando você se dispuser a escutar-me.

Jamais me cansarei de repetir-lhe sem enfado e com o mesmo carinho os mais nobres ensinamentos.

Não me queixarei quando a sua exasperação atirar-me sobre a mesa ou a sua cólera esfacelar-me o corpo.

Nasci com o sacrifício das árvores e vesti-me de branco para que o suor das meditações e as lágrimas da experiência dos outros me tingissem as páginas, a fim de que o amor pudesse bordar-me de luz para clarear as noites do seu pensamento.

Somente eu conseguirei aconselhá-lo sem que você enrubesça de pudor ou constrangimento, e apenas eu silenciarei quando você não me quiser ouvir.

Se você buscar penetrar-me, desvelarei horizontes desconhecidos à sua mente e darei cor aos seus sonhos de felicidade. Transformar-me-ei em abençoado estímulo e darei forças aos seus pés claudicantes na romagem difícil, quando necessário..

Farei da bondade o motivo central das suas horas e, compreensivo, ajudá-lo-ei discretamente a lutar e a vencer.

Influirei na sua vida como você não pode imaginar e com você incutirei na comunidade inteira diretrizes superiores da vida.

Apoie-me e apoiá-lo-ei.

Receba-me e abrirei muitas portas para que você passe livremente.

Se, todavia, você me relegar ao abandono, serei um amigo morto sem expressão nem valor.

Emudecido, não tenho significação.

Fechado, sou candidato à inutilidade e ao lixo.

À margem, perco-me em sombras.

Todas as expressões que os minutos me gravaram quedam-se em abandono.

Sem que o seu pensamento me atinja, nada posso fazer para ajudá-lo na perturbação e, sem o meu concurso, a treva, a breve tempo, terá dominado o seu campo, deixando-o sem luz nem vida.

Em atividade, porém, proponho-me a enobrecê-lo, para que entre os maus o seu caráter não se envileça nem o seu coração se insensibilize na indiferença.

Enquanto você estiver a ouvir-me, escreverá, também, as páginas do livro da sua vida, nelas gravando com os seus atos, palavras e pensamentos as experiências que lhe confiarei.

Mesmo que você me despreze, um dia surgirei diante de você no tribunal da Vida verdadeira, apresentando ao Mestre Divino a escrituração da sua jornada, em caracteres firmes e claros, onde você identificará, do seu próprio punho, as experiências malogradas nos dias da insânia e da desídia.

Amélia Rodrigues

2
Recordando Allan Kardec

Sentindo aproximar-se a morte, o ínclito codificador dá um balanço na vida. Recorda os estetas das gerações passadas que desfilam com glórias e decadências, através da sua mente luminosa. Examina o dealbar da ciência desde os seus primeiros dias e evoca as experiências de Lavoisier, Pascal, Leibnitz, Newton, Berthelot, Jussieu, titãs do conhecimento, desbravadores da Química, Matemática, Biologia, Zoologia, Física, Botânica... e acompanha as lutas da Filosofia nas diversas escolas de Sócrates a Spinoza, de Aristóteles a Tomás de Aquino, e contempla o desfilar das civilizações com seus heróis e bandidos, gênios e pigmeus, guerreiros e pacíficos, reis e plebeus, sentindo-lhes a nobreza ou compreendendo-lhes a miséria íntima.

A obra que os Espíritos do Senhor colocaram em suas mãos aturde os homens e, sabendo que o ciclo de sua vida física se fechará em breve, compreende a ingente tarefa de prosseguir, sem desfalecimentos.

É verdade que a obra gigantesca tem resistido a embates vários. Todavia, reconhece, ainda não disse tudo. Sabe que a codificação é apenas a semente da majestosa árvore que o tempo se encarregará de desenvolver, espalhando seus frutos pela Terra inteira.

Nos dez anos que o separam do lançamento de *O Livro dos Espíritos,* grande é a documentação em favor da Doutrina. Revisão e estudo, pesquisa e comprovação têm sido feitos diariamente, com cuidado e acendrado amor.

Experimentado pelas tormentas e vicissitudes de vária ordem que lhe caíram sobre a cabeça de lutador incansável, tentando jungi-lo ao ferrete de escravocratas da ignorância e da estupidez, Kardec tem a inabalável certeza da vitória do Espiritismo, através dos tempos, apesar da fragilidade dos homens. E porque pressente precursores nimbos de novas tormentas ameaçando a claridade meridiana do sol doutrinário que agora brilha, reserva, nas suas anotações, um capítulo aos desertores do trabalho e ensina que, fenômeno semelhante ocorrido com outras ciências, também o Espiritismo teria, nas suas fileiras, desertores e Judas.

Metódico, sabe que o entusiasmo desenfreado, bem como a inépcia levada à condição de conhecimento poderiam brilhar mais tarde, fazendo perigar o alicerce do honroso trabalho; Kardec diz com a sua pena vibrante: *não são espíritas aqueles que usufruem quaisquer benefícios da comunicação dos Espíritos; aqueles cuja vida não seja um reflexo da crença que esposam; os gozadores, mentirosos e enganadores; os que exploram, utilizando-se de ardis e superstições; os que se mancomunam com a desonestidade e o desrespeito; os que acatam o vício e se acobertam na indignidade, tais não são espíritas. Encontram-se no Espiritismo como passageiros desatentos de um veículo que não conhecem, ignorando onde devem saltar.*

O espírita, define o insigne pensador, será conhecido como lídimo cristão, ou, na acepção de Jesus, "através dos frutos".

Organizando uma doutrina sistematizada, definindo em linhas basilares e imutáveis o programa doutrinário, Kardec fez do Espiritismo um *monumento* de aço para enfrentar os tempos, vencer os certames cruéis e permanecer incólume.

Ensejando oportunidade aos detratores, afirmou que "o Espiritismo será científico ou não subsistirá", num século em que o cientificismo marcava as suas mais memoráveis conquistas. Informou que a obra até então apresentada não dizia tudo e certamente apresentava deficiências. Todavia, quando alguém apontasse um defeito, em parte ou no todo, os espiritistas estariam dispostos a caminhar ao lado da Ciência, colocando, assim, o Espiritismo a salvo da intolerância dogmática e do sectarismo pernicioso.

Com audácia invulgar, o mestre rompeu o véu do mistério que vedava ao profano a face íntima da Lei. Mas o rompimento do manto não permitiu a todos a mesma visão. Diferenciados os homens na escala evolutiva, nem todos podem atingir o fulcro do entendimento de um só golpe. Do Sol que nos ilumina, sabemos que apenas um terço fere a nossa visão, mas banhando-nos com a sua luz, beneficia-nos com os restantes raios caloríficos e químicos. Daí, o haver ensinado que o espírita é um homem sedento, trabalhador infatigável e pesquisador incansável. Testemunhou-o, ele próprio, como lidador constante, examinador intransigente, repudiando com o seu bom senso tudo quanto era dúbio ou deficiente para que a obra não se assentasse em alicerces fracos, podendo marchar ao lado das conquistas que se anunciavam para os séculos vindouros e fazendo o consórcio da ciência materialista com ciência divina.

Examinando-se o edifício doutrinário de outras crenças e comparando-o ao Espiritismo, pode-se dizer, sem medo de errar, que este na sua feição *sui generis* é o único que não é fruto de cisma nem resultante de fracionamento. Antes é a consequência de um estudo organizado, à luz de fatos, logicamente encadeados, com características eternas, refletindo, em tudo, a promessa do Consolador que, vindo ter ao mundo, ficaria com os homens até a consumação dos evos.

Agora, quando o Espiritismo, agigantando-se, envolve em seu manto de esperança os corações desavorados, e de todos os lados se prenunciam borrascas, é necessário recordar Allan Kardec para se conhecer a Doutrina, a fim de que a superstição não receba foros de respeitabilidade, tampouco falsas concepções adquiram valor, criando intolerância e fazendo sectarismo destruidor. É necessário zelar pela fé, para que a nossa conivência com o erro e a ausência de exame racional não nos debilitem, conduzindo-nos ao desequilíbrio moral.

Recordemos Allan Kardec, agora e sempre, para que a Codificação, essa grande desconhecida, possa brilhar em nossas vidas e possamos honrar-nos por sermos espíritas, demonstrando-a na conduta que mantivermos em nossa vida diária.

Vianna de Carvalho

3

Atualidade da Doutrina Espírita

Rememorando os insólitos fenômenos, que atingiram o clímax a 31 de março de 1848, na residência da família Fox, em Hydesville, e abriram novos horizontes à investigação psíquica, constatamos, pela fenomenologia medianímica, a legitimidade da Vida espiritual depois da morte.

Do fenômeno incipiente, a princípio, a Doutrina consoladora dos Espíritos, codificada por Allan Kardec, há um verdadeiro pego. E nesses ensinos, revelados pelos imortais, reaparecem as velhas doutrinas filosóficas e religiosas, que ampliaram os horizontes do pensamento humano sobre a vida Além do túmulo.

Inicialmente, para que se pudessem firmar os valores imortalistas à luz da razão, sensitivos excepcionais e investigadores valorosos foram chamados à experimentação, durante decênios de labor exaustivo.

Controles especiais, engenhos ardilosos, precauções extremadas precediam sempre aos experimentos, procurando pôr cobro a quaisquer tentativas de fraude, nos processos de investigação.

Em todo lugar, porém, a linguagem dos fatos atestava cientificamente a veracidade do fenômeno que abriu as portas à Doutrina propriamente dita.

Richet, operando com Marthe, jovem médium de 19 anos, constata a emissão de ácido carbônico na respiração do Espírito materializado de Bien-Boa.

Crookes, experimentando a adolescente Florence Cook, mede as pulsações do fantasma Katie King.

Lombroso, através da médium Eusápia Paladino, embriagada, em Gênova, vê o Espírito materializado de sua genitora.

Aksakof, pesquisando a Sra. Elizabeth d'Espérance, constata que Yolanda materializada se utilizara da energia da médium semidesmaterializada ante os seus olhos e sob controle rigoroso.

Lodge e Hyslop dialogam com o Espírito Phinuit, incorporado nas sessões da Sra. Piper.

Em Barcelona, Marata, investigando Carmen Dominguez, com medidas acauteladoras, verifica a realidade do fantasma Leonora.

O banqueiro Livermore, através de Catarina Fox, em dezenas de sessões, na sua residência, conversa com o Espírito materializado de Estela Marta, sua esposa desencarnada...

Vivem os mortos! São identificáveis os fantasmas; apresentando-se ponderáveis, contam-lhes as pulsações, modelam-se-lhes os pés, mãos e face; são extraídos resíduos ectoplásmicos; medem-lhes a força com dinamômetros; fotografam-nos... E em todas as pesquisas a vida triunfa sobre a morte.

Espíritos e médiuns submetem-se a exigências rigorosas de investigadores conscientes da própria responsabilidade e deixam-se controlar por sábios da envergadura de Ernesto

Bozzano, Jacques-Arsène d'Arsonval, Robert Hare, Alphonse Bouvier, Albert de Rochas, John Edmonds, Carl Duprel, Angelo Brofferio, para citar somente alguns, sem nos reportarmos aos já referidos, e empolgam-se com a realidade da vida espírita.

Monografias e relatórios, tas e documentos são apresentados a sociedades e academias, e o mundo toma conhecimento da Era do Espírito.

No entanto, embora todo esse material valioso, reunido em anos de cuidadoso e fatigante trabalho, de pouco proveito seria para a Humanidade, não fosse Allan Kardec, o eminente missionário, que, através da sensibilidade das discretas senhoritas Japhet, Carlotti e das meninas Baudin, interrogando os imortais, codificou o Espiritismo, oferecendo ao homem abençoado roteiro para sua jornada na Terra.

Hoje, mais de cem anos decorridos, após os fenômenos de Hydesville, e rememorando os insólitos *raps* que ensejaram uma Nova Era para a pesquisa da Vida espiritual, encontramos na Doutrina Espírita a fórmula sempre atual para equacionar os complexos problemas da alma humana, ainda atribulada e inquieta, no momento em que o homem atravessa a atmosfera em busca de outros portos no Infinito...

E ante as conquistas do pensamento, na atualidade, essa doutrina filosófica de consequências morais e religiosas cresce cada vez mais, superando a clássica fenomenologia para repetir os excertos sublimes de Jesus Cristo, conclamando ao amor e à fraternidade.

"Piedade para com os infelizes...
Esquecimento de todas as ofensas...
Perdão a todos os males...

Doação ampla e farta de luz e amor em forma de pão, agasalho e medicamento...

Renúncia como clima necessário à evolução...

Trabalho infatigável"... eis o apelo do Mundo maior.

Doutrina Espírita hoje é Evangelho vivo e atuante junto aos corações angustiados e afligidos.

É por essa razão que, acima do fenômeno mediúnico puro e simples, está a Doutrina Espírita como "pedra de toque que desgasta o erro" e permite fulgure a verdade, rasgando clareiras na treva densa da ignorância, apontando céus formosos para o futuro.

E enquanto ruge a tormenta desenfreada, avassalando tudo, cultivemos, no Espiritismo, o diamante sem jaça da verdade, situando-o no íntimo dos corações, vivendo integralmente os ensinos de Jesus, porquanto, se o conhecimento amplia a capacidade de discernimento, só o amor nos enseja o ingresso no país da consciência tranquila, conforme o postulou e viveu o Divino Amigo de todos nós.

José Petitinga

4
Oferenda

Meu pequenino rei.

Permita que a minha ternura atapete os caminhos para que os cardos ocultos no pó não magoem os seus pés. Coloco na poeira das estradas os melhores tecidos que a minha devotada assistência possa produzir, a fim de que você alcance o cume dourado do seu destino.

Enquanto você é livre e detém os tesouros da pureza nos cofres do coração, escute a melodia do Senhor da Vida a fluir pela boca tarjada de luz de quem lhe ensina a orar.

Abra a porta das emoções e receba as impressões valiosas e inextinguíveis da fé, que essas vestais zelosas – as evangelizadoras – tentam depositar, quais moedas luminosas, no altar da sua alma.

Longe do seu sorriso há tormentas avassalando outros pequeninos reis que perdem o trono da infância, em fragorosas batalhas sem-nome.

Perto dos seus olhinhos que conseguem ver, embora você não possa compreender, há muito luto e dor ameaçando o seu reino – o nosso jardim de amor!

Por isso, aqui estou como serva junto de você, oferecendo as minhas experiências de mãe, para que a vitória lhe coroe a luta, facultando ao seu Espírito uma entrada triunfal no pomar dos homens.

Conduza a lâmpada do meu amor, enriqueça-se de amor por todos, e ódio algum derramará treva nas veredas por onde você passará.

Guarde o meu zelo nas suas mãos e vá derramando bondade por onde passe, mitigando a sede de um viajor ou diminuindo a canícula num débil arbusto através das gotas do seu carinho, e você não despertará jamais sobre os espinheiros de remorso ou coberto pelas cinzas da ilusão destruída.

Haura na minha fraqueza todas as forças que reservei, não permitindo que o tempo as consumisse, para que você possa resistir a todos os males.

Seja bom quando todos forem maus.

Seja justo quando a impiedade e o crime se abraçarem à injustiça, num reino de perversidade.

Seja honrado quando o dever esteja a se consumir na volúpia dos *infelizes*.

Seja amigo quando encontrar aflição e abandono.

Seja irmão de toda dor quando o desespero triunfar no reduto dos corações.

E conserve o tesouro que hoje lhe chega, na oferenda da minha devoção de mãe, através da harmonia que a evangelização produz na sua alma, preparando-o para os revezes e triunfos da vida.

Meu pequenino rei, o mundo é nossa escola! Respeite-lhe as lições e entesoure os valores desconhecidos da humildade e da renunciação.

Passaremos pelos rumos da Terra como aromas desconhecidos pelos bosques em festa.

Não se aflija quando perder para outrem...

Nunca se entristeça porque o triunfo da facilidade não o chamou à glória, na festa da fantasia...

Hoje falam doces vozes traduzindo o murmúrio dos Céus para os seus ouvidos atentos. *Amanhã* você transformará as harmonias da Terra em hinos de louvor aos Céus, ajudando as almas do mundo.

Identifique, agora, a claridade e siga, meu doce reizinho, para o seu destino, servindo e passando em nome d'Aquele que desde já nos chama para o caminho da Vida maior.

Procurarei seguir com você, tomando às estrelas do firmamento bagas de argêntea luz para adornar sua cabeça e balsamizar as feridas, que um dia, porventura, venha a nascer no seu coração.

Aura Celeste

5

O Além-túmulo

Quando se fala sobre o Além-túmulo, surge à mente do ouvinte a imagem longínqua de uma terra perdida acolá das fronteiras da vida, e muitos se quedam a conjecturar em torno de uma região mirabolante em que a fantasia em nuances de tragédia dantesca se mescla a uma apoteose lírica com as características infernais das tradições religiosas. Todavia, o Além-túmulo escapa a qualquer descrição e, às vezes, as histórias que ali se desenrolam começam antes mesmo da sepultura.

O veículo da morte, em transportando o homem de um estado vibratório para outro, apenas o desnuda para enfrentar a própria consciência livre, que descortina os grandes mapas das suas atitudes grafadas através do tempo, nos escaninhos da consciência. E quando este homem não se prepara devidamente para enfrentar o libelo inconfundível do próprio *eu*, embrulha-se nos pesados crepes da revolta, buscando fugir pela estrada do remorso, ou descendo as escadas da desesperação, ou atirando-se ao mar das lágrimas como se assim pudesse evitar que a *voz* da Divindade dentro dele mesmo calasse a sua constante modulação, que mais cedo ou mais tarde se fará ouvir no seu imo.

O Além-túmulo, em realidade, transcende as muitas fantasias que sobre ele foram elaboradas.

Dante, descrevendo o inferno, fê-lo em *pinceladas leves*, considerando as punições terríveis que cada um cria para afligir-se, quando pela vilegiatura física, porque, em verdade, o homem que mergulha na carne e que dela faz um tremedal de prazer, não difere muito do verme que engorda presunçoso nas bagas da putrefação. A sua organização psíquica anui àquela destinação que ele relegou ao mecanismo do controle moral, que está ao alcance do discernimento e do livre-arbítrio.

O Além-túmulo representa, portanto, o encontro do homem consigo mesmo, com a consciência livre. Daí a necessidade de cada um construir a futura habitação por meio de uma salutar conduta, enquanto no casulo fisiológico. Os atos criam vibrações que se impregnam no perispírito, gerando ondas de harmonia ou de desequilíbrio.

Por mais se fixe a descrença nos centros mentais, não se destrói tal realidade.

Porque alguém se furte ao dever, o dever não fugirá dele. Porque se evite a verdade, não se ficará indene ao encontro com ela. Porque se negligencie o compromisso, este por si só não se resgata. Porque alguém se furte à execução do programa do bem, não se faz que o bem desapareça da Terra. Porque se negue a Vida imperecível, esta não se extinguirá...

É indispensável, portanto, que meditemos na transcendência do fenômeno espírita, essa ocorrência de todo dia e de cada momento a suceder nos diversos climas do mundo.

Lágrima, dor, enfermidade – eis a balada triste que se ouve em todos os quadrantes, na diversidade das vibrações em derredor do Orbe, nas organizações extraterrenas ou na face imensa da Terra, onde vivem as criaturas encarnadas.

Mente – ação; pensamento – vibração; onda mental – construção espiritual.

A Terra, hoje como ontem, é um campo de energia que se adensa na matéria e de matéria que se dilui em energia.

No setor moral-religioso, tudo igualmente são vibrações: prece-raio, meditação-onda; vibrações do Espírito em direção ao Dínamo Celeste, que as capta, e donde fluem e refluem abundantes, criando o campo de forças positivas em torno de quem as emite.

Vivamos, destarte, de tal modo que a morte não nos surpreenda na condição de nautas imprevidentes em batel de irresponsabilidade.

Meditemos diariamente ao despertar em torno de um programa de ação para as horas diuturnas e, quando o manto denso da noite descer, façamos um balanço das atividades, renovando as diretrizes e retemperando as fibras para as lutas da redenção.

Fujamos do crime de qualquer natureza, onde e como quer que medre. Evitemos o contágio da concupiscência, da degradação moral como e onde se espraie.

Na abençoada busca do Cristo, recordemos que todo aquele *que perseverar até o fim* terá ingresso na Vida...

João Cléofas

6
Suicídio

Não somente pelo gesto arrojado nos despenhadeiros da autodestruição, dominado pela loucura e a insensatez, o homem comete suicídio. Mas também pelo desrespeito às leis do equilíbrio e da eternidade com que a vida nos dignifica em toda parte.

Suicidas! Suicidas! Quase todos o somos.

A Lei Divina é roteiro disciplinante e o corpo físico é vaso sagrado para a evolução.

No entanto, ao império da desordem, não raro desvalorizamos as bênçãos do Amor Celeste e geramos as víboras que nos picarão, logo mais, contribuindo com os anéis vigorosos que nos despedaçarão de imediato.

Coléricos extremados são suicidas impenitentes.

Ciumentos inveterados, glutões renitentes, sexualistas descontrolados, ambiciosos incorrigíveis, preguiçosos dissolutos, toxicômanos inconsequentes, alcoólatras insistentes, covardes e melancólicos que cultivam as viciações do corpo e da mente, escravizando-se às paixões aniquilantes em que se comprazem, são suicidas lentos, caminhando para surpresas dolorosas, em que empenharão séculos de luta punitiva e dor reparadora para a própria libertação, nos círculos das reencarnações inferiores...

Em razão disso, afirmou Jesus há vinte séculos: "Buscai a Verdade e a Verdade vos fará livres...".

E a Doutrina Espírita, parafraseando o Cordeiro de Deus, afirma: *Fora da caridade não há salvação.*

Porque a caridade, como o amor, são a alma da Verdade que, em si mesma, é a vibração da vida.

Espírita! Tenha cuidado! Ligue-se ao pensamento superior e cultive no Espiritismo a ideia universal do bem, irrigando sua alma de consolo e esperança, a fim de librar acima das paixões tranquilo e feliz, após as lutas necessárias no caminho renovador do aprendizado espiritual, na carne.

Valorizemos, desse modo, o auxílio ao próximo, mas consideremos que o respeito à própria vida, para preservação do vaso orgânico que nos serve de veículo à evolução, é caridade que não pode ser desconsiderada em nosso roteiro iluminativo.

Cultivemos o dever e a disciplina e, afinados ao ideal de melhor servir em nome do Servidor Incansável, prossigamos fiéis e dignos em todos os dias da vida.

Suicidas – suicidas, quase todos nós o somos!

Porém, como Jesus é a *Luz do mundo*, busquemo-lO, empenhando-nos nas lides da Imortalidade, e despertaremos, Além da morte, como a andorinha feliz singrando o ar ridente de Eterna Primavera.

Cairbar Schutel

7
Evocação

Escuto, na casa agora vazia, o descompasso pausado das sandálias gastas arrastadas pelos seus pés cansados...

Debruço-me à janela das recordações e revejo a cabeça prateada onde os sonhos cederam lugar a longas penas e ansiedades...

Procuro os seus olhos nos rios das lembranças e os encontro transparentes, dizendo advertências que os seus lábios descoloridos não mais se encorajavam a proferir...

Todos os recantos do nosso lar aguardam os sinais da sua passagem, mas o meu coração dorido de saudade e relado pela sua falta conserva insculpido o seu nome, o santo e doce nome: mamãe!

Quando as dores agora me cruciam, já não tenho quem, nada me dizendo, fala-me tudo.

Quando a soledade me desloca para o centro das inquietações tormentosas, não encontro ninguém que me socorra em silêncio.

Quando a noite se alonga nos meus desgostos, choro sem consolo.

Quando me volto a recordar, buscando alento no que você me deu, ensinando-me com o seu exemplo, sofro por não a ter mais.

A caminhada se faz longa e a aspereza das experiências hoje me aflige.

Os homens seguem sem rumo e a miserabilidade espalha miasmas pestilenciais pelas rotas inseguras.

Há muita conquista na Terra e pouca luz.

Escasseiam as provisões de paz e enxameiam as armas de destruição.

É bem certo que há guerra porque nunca se procurou ouvir as mães...

Povoadas de sombra, as províncias do mundo gemem...

Uma grande vaga de loucura ameaça tudo levar de roldão, e eu, também eu, a custo consigo firmar-me de pé. Agora você não está mais aqui!...

Não a soube honrar devidamente, minha mãe!

Do seu seio suguei a vida, da sua juventude tomei os dias, os seus sonhos você me deu e todas as suas fantasias...

Agora que você passou, eu desperto, extenuado, a venerar o seu sacrifício, a grandiosa missão em que, mulher, você santificou a vida.

Perdoe-me chegar tardiamente para o beijo que não logrei depositar no seu sereno coração.

Minha mãe, santa que você é, rogue à Mãe de Jesus, a Mãe Santíssima de todos nós, que interceda junto ao Seu Filho por todos os corações da retaguarda sombria em que os homens se demoram!

❖

Filhos da Terra:

Enquanto a oportunidade enriquece de bênçãos o vaso carnal em que rumais para os portos da verdade, examinai o coração maternal ao vosso lado e o amai!

Dia chegará em que, extenuado, ele deixará de pulsar...

Mães do mundo:

Quando as esperanças emurchecem como flores de hastes fanadas que o vendaval ameaça destruir, tomais o sublime fardo dos vossos deveres e recomeçai os caminhos do amor!

A maternidade é o sacrário da vida em que exultam as dádivas dos Céus na elaboração da felicidade e da ventura plena. Meditai!

Dobro-me sobre mim mesma e recolho as joias espalhadas no córrego ligeiro das evocações para recompor o colar partido do seu amor que me vitaliza e, orando, balbucio, na saudade, outra vez:

Deus a abençoe, mamãe!

Amélia Rodrigues

8
Educação e Espiritismo

John Dewey, o grande educador norte-americano, afirma: "Educação é vida", enquanto William Kilpatrick acentua que "educação é preparo para a vida". Antes, educação era apenas instrução no seu sentido mais primário. Com as ideias de Rousseau e Pestalozzi, a educação recebeu um impacto renovador, tornando-se a mola mestra da felicidade humana. A esses ilustres pedagogos coube a tarefa de conduzir a criança ao seu devido lugar, em pleno século passado, destruindo o velho conceito vigente nas escolas catedráticas e paroquiais de que "a criança era um homem em miniatura e, como tal, deveria ser tratada".

Seguindo-lhes os passos, homens e mulheres da envergadura moral e educacional de Maria Montessori alargaram mais os horizontes da educação, amparados pela Psicologia infantil, que se encarregou de derrubar os últimos tabus e falsidades que cercavam a criança. Com os modernos conhecimentos, a criança passou a ser uma vida em formação, depósito de instintos a corrigir e celeiro de possibilidades a desenvolver.

Todavia, apesar da contribuição valiosa de pedagogos e psicologistas, a educação não resolveu os angustiantes problemas que, hoje desenvolvidos, ameaçam a estabilidade humana na face da Terra. A condição moral do homem não se modificou muito em relação aos seus antepassados, não se podendo esquecer que o progresso do caráter não acompanhou o desenvolvimento do intelecto. E o desequilíbrio sociomoral na atualidade atinge o seu mais elevado nível.

A desarmonia dos cônjuges, no lar, criou o desajuste infantil, e o descontrole social vitalizou a delinquência juvenil, não podendo, destarte, a educação atender com força renovadora a essas plantas já nascidas débeis com raízes em solos enfraquecidos.

No entanto, educar não é apenas preparar para a vida nem é vida. Educar, dentro das novas diretrizes do Evangelho de Jesus, é salvar.

Quando o Prof. Denizard Rivail, emérito discípulo de Pestalozzi, no século passado, ofereceu à França cansada de lutas internas e externas, esmagada pelas vicissitudes políticas, a valiosa contribuição de mestre-escola, inaugurou, naqueles dias de descaso pela educação, uma era nova para a Humanidade. Dedicando-se ao estudo, interpretação e exposição das ciências matemáticas, contribuiu de maneira expressiva com novos métodos de ensino da Aritmética e da Geometria. Transformando o lar em escola, fez dele um templo ao saber, doando com sacrifícios sua luminosa inteligência e seu generoso coração à obra veneranda da Educação.

Em Yverdon, com o grande mestre, aprendera que para uma obra de real valor educativo são necessários ao professor: "Trabalho, solidariedade e perseverança" nos postulados essenciais do ensino. Mais tarde, quando convocado pelos luminosos Espíritos do Senhor à cruzada de renovação do homem, usando o pseudônimo de Allan Kardec, empenhar-se-ia na grandiosa luta, elegendo o lema "Trabalho, solidariedade e tolerância" como indispensável ao êxito do seu sacerdócio.

Em Denizard Rivail, encontraram os emissários celestes o professor e o homem cristão empenhados em salutar combate de construir um mundo onde a felicidade se tornasse uma realidade positiva ao alcance de todos.

Convidado a codificar o Espiritismo – mensagem de esperança e consolação, documentário onde se inscrevem brilhantemente a Ciência, a Filosofia e a Religião –, fundamentou o hoje célebre conceito: *Nascer, crescer, morrer, renascer ainda e progredir sempre – tal é a lei*,[9] abrindo reais e novos horizontes à Psicologia infantil para favorecer a Educação com métodos primorosos. Pode, então, a criança ser estudada, não apenas como um ser em formação e muito menos como um homem em miniatura; mas como um Espírito comprometido e empenhado em nobres embates pelo aprimoramento íntimo. Ensinando o Espiritismo que *vivemos ontem*, oferece-nos um vasto campo de investigações junto à *criança-problema* – esse enigma para a Psicologia infantil –, favorecendo a moderna Pedagogia com métodos capazes de promover o ajustamento daquela com a sociedade onde vai viver.

Não mais as limitações selvagens do passado, em cujas diretivas o "conhecimento entrava com o sangue que escorria". Nem a excessiva liberdade proporcionada pelos exagerados métodos de Dewey e pedagogistas modernos. Mas, ao lado dos métodos de educação, a disciplina salvadora do

---

9. A frase: "*Nascer, crescer, morrer, renascer ainda e progredir sempre – tal é a lei*" encontra-se na tumba de Kardec e é de autoria da União Espírita Belga, que ofereceu o mausoléu dolmético para guardar os despojos materiais de Allan Kardec (nota da editora).

Evangelho que corrige com amor e esclarece com justeza, para orientar e ajudar.

Educação – alimento da vida.

Espiritismo – vida.

É de bom alvitre estimulemos o ensino, evangelizando o professor, a fim de que este possa transmitir o conhecimento, clareado pela Sabedoria de Jesus Cristo, o Mestre por excelência.

Por isso, o Espiritismo é doutrina eminentemente educativa. Com as luzes que projeta sobre a alma humana, resolve todos os problemas do ser, do destino e da dor. Dirigido à criança, toma no presente as mãos do homem do futuro e prepara-o para as lides da imortalidade triunfante.

Afirmamos, pois, sem receio: Espiritismo e Educação são partes essenciais de um mesmo todo na sementeira do amor integral.

Lins de Vasconcellos

9

Perante o corpo

Examinando a infinita caravana dos que partem da Terra em busca dos portos da Imortalidade, constatamos que a maior incidência de *causa mortis* é o suicídio.

Suicídio pelos desregramentos do paladar naqueles que converteram o estômago em tina de alimentos supercodimentados, graxas e acepipes que intoxicaram as vísceras, aniquilando as suas atividades.

Suicídio pelo desequilíbrio de emoção daqueles que transformaram o aparelho nervoso em casa elétrica violentada por descargas poderosas que lhes arrebataram as turbinas, desarranjando os centros dinâmicos da vida.

Suicídio pelo ódio dos que, absorvidos em miasmas mentais que penetraram pelo aparelho respiratório, produziram distonias e enfermidades pulmonares, com decorrentes complicações cardíacas e hepáticas de deploráveis consequências.

Suicídio por quantos transformaram o patrimônio sexual em prazer animalizante, cansando os centros genéticos, nos intermináveis banquetes de paixões sem nome.

Suicídio em quantos viciaram a mente na indolência e na preguiça, perturbando a admirável harmonia dos fulcros motores, sensitivos e intermediários, engendrando e gerando enfermidades sem nomenclatura que aniquilaram os tecidos sutis do perispírito.

Suicídio por aqueles que utilizaram o verbo de forma displicente e malsinante, colaborando para o acúmulo de descargas mentais dos outros, nos centros espirituais que enfermaram ao impacto das ondas da revolta e cólera provocadas pela insensatez.

Suicídio dos que exorbitaram do fumo, álcool, barbitúricos e sucedâneos, nas orgias da banalidade em que o corpo participou como escravo dos excessos malcontidos pela indisciplina moral.

Suicídio dos que se ausentaram da *fé-roteiro* que os dignificasse na ginástica da reencarnação, pelo caminho da Eternidade...

Os suicidas chamados *conscientes* constituem minoria insignificante em face dos outros suicidas ditos *inconscientes*, que, todavia, desenfreados, se atiraram voluntariamente nos abismos da ilusão onde despertam, infelizes e enlouquecidos, constituindo farândola de desafortunados, que perambulam ligados às vibrações grosseiras em torno do orbe onde se demoram, desarvorados, indefinidamente...

Se você tem olhos para perceber os clarões do Cristianismo ou a luminescência do Espiritismo, levante-se e ande...

Recorde o encontro de Jesus com o cego de Jericó e veja. Veja para discernir, veja para avançar, veja para viver e ser feliz.

A Doutrina Espírita – que tudo nos dá e nada nos pede – é o *anticorpo* para os males que afligem o mundo e para as misérias morais que maceram os Espíritos da Terra.

Medite nos seus ensinos e conclua que a vida tem objetivos mais altos e nobres, além dos impositivos do viver que muitas vezes é vegetar e do *gozar* que normalmente é sofrer.

Transfira a paixão do corpo que perece para o Espírito que viverá sempre e descortinará horizontes sem-fins e alegrias sem nome, cantando a melodia da felicidade que vibrará na acústica dos seus ouvidos espirituais.

Cada um *leva* da vida a vida que *leva*.

Não há metamorfose moral por imposição miraculosa do Além do túmulo.

Depois que se arrebentam as peias do casulo de cinza e lama, o Espírito imanta-se por sintonia perfeita às zonas vibratórias onde encontra material específico, semelhante àquele de que se reveste, escravizando-se ou libertando-se das *formas-pensamento* que cultivou nos dias de jornada terrestre.

Merece considerar que o mundo Além da morte é continuação das atividades da vida *aquém da morte,* e que cada um despertará depois da tarefa com os resultados do trabalho ligado à consciência e às mãos.

Respeite, desse modo, a organização somática que lhe serve de veículo para a evolução, honrando com a disciplina e a ordem a engrenagem celular, os vasilhames de transformação, os centro elétricos, ossos e cartilagens, glândulas e gânglios onde trilhões de vidas microscópicas laboram, infatigáveis, sucumbindo para ressurgir, a fim de que o Espírito imortal possa realizar o culto do dever para o qual renasceu, reconhecido e jubiloso ao corpo, sem o qual o crime e o abuso da razão se converteriam em azorrague implacável a zurzir indefinidamente...

Carneiro de Campos

10
Bagatelas

Companheiro,
escute-me com atenção.
Eu sei que você está cansado, com a mente turbada por inquietações e desencantos.

Asserene-se e permita-me o ensejo de falar-lhe.

Provavelmente você aspirou a melhores resultados na batalha da vida: triunfo e auréolas da fama, rédeas do poder nas suas mãos, comodidades e sorrisos à porta da sua afetividade, viagens, prazeres...

Todavia, a surpresa da realidade o molesta.

Diante dos que conseguiram os altos postos de comando no mundo, você sente um ressaibo de inveja ou revolta e crê que eles não merecem o de que desfrutam, pois que não são melhores do que você, faltando-lhes, é bem possível, valor e nobreza para se manterem com equidade na posição que os deslumbram.

Talvez você tenha razão.

Não é justo, porém, que você considere como felicidade somente o ouro reluzente, a conta bancária expressiva, o automóvel de alta categoria, o palacete...

Esteja certo de que em muitas vivendas, senão em quase todas aquelas, que se caracterizam pelo poder dos seus proprietários, a aflição também faz morada.

Há bagatelas que enchem a vida de sol, produzindo alegria e ventura se as utilizarmos devidamente.

Felicidade é moeda cujo sonido mais dura quando retorna em nossa direção, após a termos ofertado a alguém.

Não olhe os que estão aparentemente acima de você; fite os que escorregam junto aos seus desenganos, mais problematizados, e achegue-se a eles.

Muitos homens elegem a desarmonia íntima por aspirarem apenas às situações brilhantes e se engalfinham em lutas renhidas para as situações de relevo, empenhando a existência em negócios nefandos, para se envenenarem depois com a cicuta do medo, do ódio, do ressentimento...

No entanto, há tantas pequenas coisas que engrandecem!

Pequenas-difíceis realizações que todos quase desdenham e que são tesouros preciosos de fácil manejo.

Considerando a Via Láctea, ficamos a pensar no átomo que lhe serve de base...

Esses pequenos átomos de amor, na direção do próximo, geram uma *via láctea* de felicidades para os arquitetos das ações desconsideradas.

Saia da noite de você mesmo e espalhe átomos de esperanças.

Faça alguém confiar na generosidade humana, sendo gentil.

Conceda a oportunidade a um desafeto de conhecer-lhe o sorriso do perdão.

Conduza a taça de alegria a alguém numa enxerga.

Lave uma ferida num estranho.

Alongue uma moeda até as mãos que não se atreveram a buscá-la nas suas.

Dirija palavras de alento e bom humor ao companheiro de viagem, no veículo coletivo de todo dia.

Abrande o golpe do desespero em alguém que se queixe a você, dando-lhe otimismo.

Acenda uma lâmpada de alento num coração em agonia.

Olhe o manto da noite, companheiro, e medite na extensão do amor do Nosso Pai...

Tudo, além, lhe parecerá tranquilo, harmonioso, fascinante...

Calculam os astrônomos que, a olho nu, se podem ver cerca de cinco mil estrelas fulgindo, no firmamento... Considerando-se que somente se vê a abóbada celeste em uma metade de cada vez, as estrelas que nos acenam luminosas e nos ferem a retina visual não ultrapassam o número de duas mil e quinhentas... E, no entanto, acreditamos vê-las aos milhões...

Essas que vemos são as bagatelas do Universo.

Além, muito além, ilhas siderais, nébulas e continentes estelares cantam as glórias do Criador, ignoradas por nós.

Transforme, assim, as nugas singelas que possui – estrelas humildes do firmamento da sua bondade – em ilhas de amor nos céus escuros de muitas almas, e, agindo no bem sem cessar, você despertará cada hora nimbado de paz, envolto na luz da alegria que dimana do Sol Divino emboscado no seu coração.

Constatará, também, porque Jesus, Rei do orbe, veio até nós nas palhas de uma estrebaria, acondicionou o amor em embalagens de ternura, conviveu com os infelizes, ouviu a gente sem nome nem projeção, mourejou numa carpintaria comum e distribuiu valores de eterna alegria numa jornada de benemerência que a Cruz de escárnio e o esquecimento proposital dos poderosos não conseguiram anular através dos tempos, continuando até hoje como Modelo de felicidade integral para nós todos...

Scheilla

11
Espiritismo

Há quem pretenda transformar a Doutrina Espírita em departamento de comunicações com o Além-túmulo, conseguindo informações que cerceiem a iniciativa dos homens ou sugerindo soluções que equacionem os problemas pertinentes à vida tangível, na Terra. E como nem sempre conseguem realizar seus desejos, voltam-se para a mediunidade à cata do maravilhoso e do sobrenatural com que atendam aos impositivos irrefletidos da própria leviandade, quando chegam ao repositório abençoado da revelação de *post mortem*.

Os Espíritos desencarnados, no entanto, não se podem transformar em novos magos a reviverem as velhas civilizações siro-fenícia, egípcia ou caldaica de épocas mui recuadas, convertendo os médiuns em arúspices romanos ou pitons da Grécia. O objetivo essencial da Doutrina Espírita, na hora presente, é desvelar o Evangelho de Nosso Senhor Jesus Cristo em linguagem condicente às necessidades morais e espirituais da atualidade, refletindo a beleza da Boa-

-nova nas conquistas da Ciência indagadora e atormentada que hoje dirige o pensamento.

A missão do Espiritismo é inclinar o homem para a fonte da moral austera do Cristo, oferecendo-lhe a água lustral do equilíbrio e o pão salutar da esperança a fim de que, saciado, possa dirigir os passos no rumo da equidade e da honra, em busca do fanal da vida: a felicidade plena!

Apesar disso, no entanto, são comuns os apelos à Esfera espiritual, rogando aos embaixadores celestes mergulhem na matéria densa da mente mediúnica para trabalhar pelos que se guardam nas experiências carnais do dia a dia.

Consideremos, entrementes, que os celestes dirigentes da Terra, quando desejam apresentar soluções na matemática das finanças ou sugerir novas fórmulas para a erradicação de enfermidades que dizimam os povos, ou facultar novos descobrimentos para a felicidade geral, ou, ainda, para alargar os horizontes da investigação, fazem que os seus luminares mergulhem na névoa carnal pelo processo natural da reencarnação, a fim de que, na vestimenta humana do homem comum, experimentem as mesmas aflições e avancem no conhecimento, galgando os degraus por onde todos ascendem aos altos comandos da mente encarnada.

É assim que encontramos Sócrates no lar de modesto marmoreiro, Lineu descendendo de humilde chaveiro de ferrovia, Lincoln renascendo entre madeireiros ignorantes acompanhados de outros grandes heróis do pensamento, na oficina modesta do trabalho sacrificial, sedentos de beleza e vida, ampliando os tesouros da investigação na Terra...

É também por esse processo que encontramos Moisés abandonado ao sabor das águas do Nilo, Buda renunciando ao conforto principesco da corte para meditar à sombra da árvore da vida, Confúcio construindo as leis da sadia filosofia do seu país e Mohandas Gandhi abstêmio e sacrificado nas lutas da não violência para difundir a paz entre os homens. E, acima de todos eles, Jesus Cristo, o Mestre por excelência, mourejando humilde e apagado numa infância pobre na carpintaria de José, docemente assistido pelo maternal desvelo de Maria...

Se os Espíritos resolvessem os problemas pertinentes ao homem, candidatariam a espécie humana ao aniquilamento.

Que se dirá do mestre que, a pretexto de amor, faculta ao aluno galgar novo degrau escolar, à base de privilégios injustificados e cola indigna? E como será possível funcionar uma oficina de trabalho respeitável se o administrador, por constrangimento, atender aos pedidos exorbitantes do corpo funcional sempre insatisfeito?

A Terra, na mesma ordem, é nossa escola, nossa oficina de reeducação. E o Espiritismo é a mensagem de alevantamento moral e de refazimento do ânimo, ao invés de cadeira comodista ou sofá veludoso de incentivo à indolência e à preguiça.

Penetremo-nos, portanto, do dever sadio e nobre da edificação do bem em nós mesmos e, sejam quais forem as conjunturas negativas que nos possam intimidar, tenhamos em mente que o Senhor, embora abandonado por todos, no pretório, era o Príncipe vencedor, enquanto Barrabás, aclamado pela maioria, representava o crime que a sociedade pretendia combater.

Certos de que a nossa tarefa devemos fazê-la e o nosso dever cabe-nos cumpri-lo, avancemos resolutos e amparados no esclarecimento que acende uma luz íntima na mente, seguindo o ideal espiritista, que, atestando a nossa incorruptível imortalidade, nos oferece a instrumentação para vencer todas as dificuldades e chegar ao porto de vitória com a honra ilibada e o coração tranquilo.

Francisco Spinelli

12

O Evangelho segundo o Espiritismo

Enquanto a noite moral se demora no corpo ciclópico da Europa, Jesus vela.
Em Paris, desde 1857, teve início a Era Espírita com *O Livro dos Espíritos,* e, desde então, os velhos conceitos do pensamento filosófico sofrem vigoroso embate.

O cadáver das instituições vencidas não impede que a Humanidade escreva nova página nos fastos da História.

A boca da intolerância, porém, prossegue, insaciável, tentando devorar as tenras conquistas da verdade, que teima em impor-se.

Agressões e diatribes, lutas e dificuldades surgem esmagadoras, através das quais a força da ignorância tenta sobrepujar a nobreza da razão. Apesar disso, o império das sombras, abalado, começa a ruir...

Espíritos de escol que haviam mergulhado na carne ensaiam os primeiros passos no rumo da liberdade das consciências e da moral.

Em 1860, Allan Kardec conclui o trabalho valoroso de *O Livro dos Médiuns,* que vem à publicidade no ano seguinte.

A Filosofia e Ciência experimental confraternizam, no mundo espírita, alargando os conceitos da vida...

A dor, no entanto, campeia. Embora o Consolador já se encontre entre os homens, o luto e o desencanto, desenfreados, alastram-se, disseminando amargura e aflição.

As Esferas sublimes, porém, recolhendo os apelos e as lágrimas que se erguem da Terra angustiada preparam a Grande Mensagem da consolação, em nome de Jesus, e *"O Evangelho..."*, como há dois mil anos, se corporifica nas mãos de Allan Kardec para distender a esperança e o amor sobre toda a Terra...

...Em abril de 1864, o Paracleto, glorioso e triunfante, aparece no mundo, vitoriosamente, repetindo o Mestre, na Galileia, após a Ressurreição, quando confortava os que ficaram na névoa carnal...

Antes, as vozes haviam falado ao cérebro, e a razão, esclarecida, ensaiou e conseguiu realizar novos empreendimentos.

Depois, a razão investigando, ciosa de roteiros novos, recolheu as notícias da mediunidade, do médium, da obsessão.

O coração, ansioso e sofredor, sedento de paz e harmonia, recebeu, por fim, no *Evangelho*, o simbólico e sublime lenço para lhe enxugar o suor e o pranto, envolvendo-o no carinho da consolação apaziguadora.

Jesus, que nunca antes se apartara dos homens, aproximou-se, ainda mais, e voltou a falar como outrora, chamando, chamando, e conduzindo.

Novas bem-aventuranças sobre os corações...
Cânticos de louvor aos humildes e simples...
Promessas abençoadas de amor...
Vozes libertadoras...

...As fronteiras do Céu perdem-se, agora, interpenetradas nos umbrais da Terra, e os embaixadores da Vida maior, confraternizando, reafirmam a libertação do espírito humano das velhas algemas...

Jesus é o Guia, e Kardec, o condutor.

A Boa-nova é o Roteiro, e a Mensagem espírita, o consolo.

O Evangelho segundo o Espiritismo que, então, no mundo corporifica a palavra imperecível do Excelso Enviado, é Ele mesmo de retorno, tomando os filhos e as filhas da dor nos seus amorosos braços para os conduzir aos páramos da luz gloriosa e inextinguível da Verdade.

Vianna de Carvalho

13
O Evangelho e o lar

Com as alvíssaras do Espiritismo – mensagem de luz e consolação que revive o Cristianismo na sua primeira fase –, o lar recupera a sua posição de liderança no conceito harmônico da sociedade hodierna.

Depois da grande jornada do homem nas catedrais da fé e nas academias da Filosofia, bem como nas Escolas da cultura científica, o homem moderno não se encontra, por isso mesmo, mais feliz nem mais tranquilo.

Deslumbrado com as belezas harmoniosas do céu, demora-se com os pés no chão.

Fascinado com a claridade das constelações, continua a arrastar-se na lama das dificuldades morais.

Ansioso por liberdade, ata-se aos elos do cativeiro, demorando-se na senda da amargura.

A Ciência ligou abismos e restringiu distâncias... O telefone, a eletricidade, o rádio, o telégrafo, os antibióticos, as sulfas favoreceram a comodidade e propiciaram ao ser humano maior resistência ao sofrimento. Apesar disso, o homem continua triste...

O século XX, na sua segunda metade, mandou instrumentos de precisão além da órbita da Terra; pôde ver a face não conhecida da Lua, fotografou Marte e Vênus a distancia reduzida e, no entanto, carrega cicatrizes ainda purulentas dos campos do antissemitismo e da destruição em massa de cidades e povos... Isto porque o lar foi esquecido.

Alguns povos transformaram o lar em quartel onde se exercita a juventude na arte macabra de matar...

Outros olvidaram o sagrado patrimônio da família e favorecem a libertinagem.

A invigilância de algumas nações relegou o abençoado reduto doméstico a plano secundário.

A rapina de muitos governos fomenta o intercâmbio comercial, fazendo dos lares armazéns, silos e oficinas onde a máquina inconsciente da criminalidade se movimenta incessante.

E o poder guerreiro, o dinheiro, a insânia passam a comandar as mentes jovens afastando-as de Deus e do respeito ao próximo. Em consequência, ao comando do materialismo, o desespero e a inquietante insatisfação passam a governar o século da eletrônica, fazendo a sociedade desventurada.

Acreditou-se que evolução era posse e perfeição era cinismo do sentimento com deslumbramento da mente.

Todavia, evolução é vida.

Vida é renovação.

Só há renovação, quando o homem – célula básica da sociedade – encontra força para libertar-se do Eu inferior, mergulhado no gozo da matéria, desenvolvendo o sentimento grandioso do belo e nobre que o empolga e nobilita. Esse serviço, todavia, somente é possível através do lar.

O lar é a primeira escola. E como o Espiritismo é a grande escola das almas com um programa transcendental de aperfeiçoamento – lar e Espiritismo são termos da mesma equação da Vida.

❖

Quando o Evangelho penetra o lar, o crime bate em retirada. Com a mensagem clara da Boa-nova, a alegria renova os corações e alimenta as almas.

Não mais lutas...

Não mais receios...

Não mais inquietações...

Suicidas potenciais do sentimento amargurado em quase estado de crime despertam para a realidade do mundo maior.

Embriagados pelas paixões inferiores, iniciam o processo de libertação.

Jesus Cristo em casa é paz no coração e harmonia no mundo.

Nem a paz do indiferente para quem *tudo está bem*. Nem a paz do ansioso sempre aflito pelo repouso do corpo. Paz interior; aquela paz que ajuda o homem a quando combatido, continuar tranquilo; perseguido, porém seguro, ridicularizado, mas confiante; sofredor, no entanto, alegre.

Jesus Cristo no lar como Hóspede Divino e o Evangelho igualmente no lar redescobrindo o homem.

Renovemo-nos.

Sirvamos.

Oremos.

Todavia, congreguemo-nos em casa, junto à mesa do pão diário, para comungar com o Senhor o pão sagrado do entendimento fraterno.

Aura Celeste

14
Maternidade e Espiritismo

Tributando o maior respeito aos geneticistas, farmacologistas, químicos e biólogos empenhados em contribuir, mediante a pesquisa científica e experimental, em prol do *controle da natalidade*, através dos diversos métodos anticoncepcionais, com que pretendem auxiliar sociólogos e estadistas preocupados com a expansão demográfica, não podemos ignorar o problema, considerando a urgente necessidade da aplicação e uso do Evangelho de Jesus Cristo, na sua expressão mais simples.

Cuidássemos da questão pelo ângulo materialista, seguros estivéssemos por comprovação irreversível dos conceitos fisicistas, nada objetaríamos.

Examinando, no entanto, o tema com a cerebração espiritualista e cristã, não há porque silenciar advertências em face do impositivo inadiável da reencarnação dos Espíritos que, no Além-túmulo, se demoram vinculados aos homens da retaguarda carnal...

É da Lei que os crimes cometidos na esfera física, no corpo somático, sejam ressarcidos.

Por essa razão, o instituto da família é credor do mais elevado acatamento, e a maternidade é sempre o venerando altar onde a vida se manifesta gloriosa, mesmo quando se trata de uma maternidade atormentada... A maternidade é o berço da grandeza humana, e a mulher, por isso mesmo, é sacrário maternal.

Excetuando-se aqueles Espíritos que reencarnam através da organização feminina com sinais de tormentos ou caráter deformado – justo corretivo imposto pela Divina Legislação –, a mulher possui as condições de cocriadora previstas no Programa Celeste.

Não bastassem, todavia, os métodos biológicos, físico-químicos e mecânicos, muitas vezes infrutíferos como anticoncepcionais, a vulgarização dos hormônios anovulatórios aumenta a degradação dos costumes, fomentando a desorganização genésica.

Argumentam os partidários do *controle da natalidade* com os conceitos do malthusianismo que objetiva, entre outras medidas, a abstenção matrimonial como fórmula restritiva à procriação de doentes ou limitados, de qualquer natureza.

Justificam outros apologistas da *restrição voluntária na reprodução* o cerco da fome e da miséria, culminando na pregação do *neomalthusianismo* que reconhece, inclusive, a validade das tentativas de aborto...

Concluem todos com o argumento não enunciado da comodidade e da transformação do matrimônio em desrespeito das fontes genésicas, gerando problemas de regularização complexa e demorada.

Os problemas da fome, da miséria, no globo terráqueo, são essencialmente morais. A superabastança de uns engendra a infraposição econômica de muitos.

A natalidade, como todos os fenômenos da vida organizada, na Terra, está subordinada a Jesus, como responsável junto ao Excelso Pai.

Todo atentado aos centros da fertilidade masculina ou feminina redundará, inevitavelmente, na esterilidade futura, com que o Espírito renascerá. Neuroses, psicoses, desajustes familiares, casais sem filhos em dramas horrendos são a colheita das medidas drásticas contra a Natureza.

Insuficientes os métodos de repúdio à natalidade, muitas mulheres, açuladas pela própria insânia, deixam-se seduzir pelo fascínio lúgubre do infanticídio, procurando fugir às responsabilidades que assumem voluntária e espontaneamente, praticando o aborto criminoso de consequências físicas, morais e espirituais imprevisíveis.

Desfilam, diariamente, por consultórios médicos elegantes em todo o mundo milhares de vítimas da imprevidência em que se enredam para a prática ominosa do assassínio frio.

Salas infectas, pardieiros esconsos recebem homens e mulheres que mercadejam, infelizes, o aborto e o infanticídio, a preço de loucura.

Entre os crimes contra a Humanidade, estes – o aborto delituoso e o infanticídio – se destacam, como os mais graves, especialmente pela impossibilidade de defesa que é concedida à vítima.

Através do Espiritismo, que projeta luz nova nos velhos e intrincados problemas da vida, do destino, do ser, dos sofrimentos humanos, sabemos que os Espíritos, a mergulharem nas densas vibrações do veículo carnal para esquecer ou recomeçar, quando impossibilitados de retornarem ao berço, se apegam psiquicamente às madres que os expulsam, propiciando distúrbios violentos, tais como a hemorragia imediata, as infecções, as úlceras e as cancerizações irreversíveis. Os desarranjos psíquicos de muitas mulheres têm base no atentado à vida fetal. Não culminam no túmulo essas trágicas ocorrências, porque irmanados, algoz e vítima, nos circuitos estreitos do ódio, se demoram em longos processos de vampirização recíproca que somente se regularizam na Terra, em novo berço...

Concordando com Lamarck, segundo o qual *a função faz o órgão*, sabemos que o uso ou desuso de um órgão implica, inevitavelmente, o desaparecimento da sua função...

Merece examinado que os anticoncepcionais podem gerar o adiamento da função, remontando-a a uma idade provecta ou atrofiar o aparelho que, solicitado oportunamente, não pode responder à finalidade para a qual se destina.

Com Lazzaro Spallanzani, o naturalista italiano do século XVIII, tiveram início as pesquisas da inseminação, que atende a muitos anseios de maternidade frustrada...

Felizmente decresce o abuso do celibato em nome da Religião, enquanto aumenta o amor livre e cresce o celibato egoísta.

Em ambos os casos, e porque o celibato não objetiva a renúncia pessoal em favor das tarefas que atendem a coletividade, torna-se criminoso pela alta dose de egoísmo que encerra, excetuando-se, evidentemente, os casos especiais da vida orgânica, sendo, apenas, degrau para a dissolução do caráter.

Celibato, sim, e castidade também...

O lar, abençoado por uma prole, é templo dos pais e altar dos filhos, escola em que a Humanidade cresce, guindando o ser ao ápice da destinação para a qual evolui: a perfeição!

Tendo em vista o impositivo do respeito às leis cristãs e aos roteiros espíritas, demo-nos à tarefa de desempenhar a função que a vida nos prescreve, confiando em Deus e trabalhando conscientemente para o cumprimento dos deveres que nos honram a condição de Espíritos em ascese aos páramos da luz.

Léon Denis

15

A VAIDADE, O EVANGELHO E O DISCÍPULO

Em clara manhã de primavera, encontraram-se na mesma via a Vaidade, o Evangelho e o Discípulo.

Disse a Vaidade: *Tens saúde. Aproveita, pois és jovem.*

Esclareceu o Evangelho: *Renuncia a ti mesmo, vem, e segue o Mestre!*

O Discípulo ouviu e calou.

Disse a Vaidade: *Tens saúde; aproveita os dias e, enquanto as forças te permitem, desfruta o banquete do prazer.*

Esclareceu o Evangelho: *Aquele que pega da charrua e olha para trás não é digno do Senhor!*

O Discípulo entristeceu-se e continuo calado.

Disse a Vaidade: *Odeia os que te prejudicam e retribui o amor somente àqueles que te amam e serás feliz no mundo.*

Esclareceu o Evangelho: *Perdoar, não apenas sete vezes, mas setenta vezes sete vezes, para ser digno da vida.*

O Discípulo, entristecido e calado, perturbou-se.

Disse a Vaidade: *Bebe e vive, repousa e levanta-se para mais gozar. A mocidade é rápida e a morte logo vem. Aproveita!*

Esclareceu o Evangelho: *Deixai que venham a mim os jovens, pois que deles é o Reino dos Céus!*

O Discípulo, atônito, recuou alguns passos e, inquieto, pôs-se a chorar.

Disse a Vaidade: *Aproveita o ensejo que passa, reúne dinheiro, armazena para o futuro e usa teus bens na conquista do prazer. É tudo quanto se leva da vida.*

Esclareceu o Evangelho: *Louco! Ainda esta noite te tomarão a alma. Para que te valem as posses?*

E o Discípulo, traumatizado, dobrou-se, tombando ao solo em convulsões.

Disse a Vaidade: *Levanta-te e esmaga o mundo aos teus pés. A vida é dos fortes e ousados; avança, resolutamente e sem receio. O triunfo te aguarda.*

Esclareceu o Evangelho: *E da forma que medires, julgares e agires, assim também serás medido, julgado e condenado.*

O Discípulo, tomado pelo palor do conflito íntimo, teve um delíquio. Levantando-se, depois, olhou o adornado corpo da Vaidade, o fulgor das suas joias e enrubesceu entusiasmado.

Ao lado, o Evangelho, de lirial brancura, vestia-se com a simplicidade da pureza.

E o Discípulo atormentado, febril e inquieto, disse à Vaidade: *Seguirei contigo; sofro muito; ainda é tempo; preciso viver; procurarei servir a Cristo e amar o mundo.*

Abraçando-se à Vaidade, partiu precipitadamente.

É certo que triunfou. Guardou o corpo em tecidos caros, defendeu os pés das asperezas do caminho com calçados resistentes e macios, adereçou os dedos e os braços com joias reluzentes, deixando que algumas migalhas da mesa farta chegassem às esfaimadas bocas dos pobrezinhos.

Mas, quando veio a velhice, a Vaidade fugiu, temerosa. O Discípulo, atormentado, foi atrás dela, nas vascas de loucura cruel.

E o Evangelho, que nunca o abandonara, seguiu-o, ainda, e a meio do caminho convidou-o amorosamente: *Vem a mim, tu que estás cansado e aflito, e eu te aliviarei.*

Pe. Natividade

16
FALANDO À FÉ

Quando você passou por mim, flamejante e gloriosa, chamando-me para segui-la, eu não poderia fazê-lo. Deslumbrei-me com a sua luz e segui com longos olhos a auréola que a envolvia.

Encontrava-me maltrapilha, descalça, de mãos úmidas pelas lágrimas que tentara enxugar nos olhos dos aflitos e, amarfanhada, não dispunha de indumentária para apresentar-me ao seu lado. Desejei com natural movimento recompor-me para segui-la, mas escutei inusitada voz chamar-me de repente. Ao atender o apelo, deparei com jovem mulher que abortara criminosamente e, agonizante, orava, arrependida...

Depois de socorrê-la, desejei seguir com você.

Outra voz sofredora clamava por mim, convocando-me ao labor. Era um menino órfão que a ventania da noite batia vigorosamente, conduzindo-o à criminalidade e ao vício. Vi-me constrangida, eu que também sou pobre, a rogar para ele agasalho em outro coração, levando-o a modesto lar onde porta generosa se lhe abiu convidativa e fraterna.

Sorri feliz! Voltou-me, então, à mente, a lembrança do seu vulto iluminado. Tranquila, dispus-me a avançar, a fim de alcançá-la. Mas, nesse momento, um coral entoando patética melodia repercutiu aos meus ouvidos, arrastando-me pelo caminho das vozes. E, em plena escuridão, no sudário da noite, fui encontrando os cantores da dor: um mendigo, tombado a rés do chão, atormentado pela fome; uma mãe solteira tentando agasalhar em trapos um pequenino que ignorava o pai; um ébrio contumaz que bracejava com o delírio; um obsidiado gemendo sob o guante de forças ultrizes; um tuberculoso dominado por hemoptise violenta; um paralítico em estertores agônicos, clamando por assistência, rogando todos imediato socorro ante o olhar indiferente de transeuntes noctívagos apressados... Todos exibiam ao comércio do sofrimento as mercadorias das suas misérias.

Utilizei-me do silêncio da noite para falar-lhes aos ouvidos e aos corações palavras de alento e ânimo, oferecendo-lhes as moedas da minha ternura, alongando o calor do seu peito a fim de que o Sol do outro dia, em chegando, pudesse dar-lhes luz e arrimo, convocando corações piedosos para o culto da assistência. Labutei penhoradamente enquanto tive forças para recolher nos meus braços, que não se cansam, todos esses filhos da aflição que a noite se negava a agasalhar. Quando por fim a madrugada residente chegou e o sol derramou a sua taça de luz sobre a Terra e eu pude ser dispensada, procurei segui-la, cobrindo a distância que nos separava com pés ligeiros e ansiosos.

À luz do dia encontrei-a tremeluzente, em débeis bruxuleios, fraca e desfalecente, ficando penalizada ante a sua paulatina extinção. E você que comandava o sólio do Altíssimo!...

Reconheço que você feneceu por caminhar sem ações que a sustentassem, qual combustível poderoso de que você não pode prescindir...

Se você desejar, porém, receber-me com a força do meu entusiasmo, oh! Fé, iluminando-me por dentro, eu lhe darei a fortaleza do amor, e juntas seguiremos cantando nosso hino de bênçãos, conduzindo conosco os trânsfugas e os caídos até Aquele cuja passagem na Terra foi uma permanente conjugação do incorruptível verbo *servir*.

...Sou a Caridade!

Aura Celeste

17
Intercâmbio e mediunidade

Todo intercâmbio sugere cooperação.
Você rogará inutilmente aos instrutores desencarnados orientação e roteiro para recuperação do patrimônio moral, se não doar, porém, de você mesmo, o material indispensável a que a resposta divina chegue aos ouvidos das suas solicitações.

Procuremos o campo das imagens simples para expressar com clareza nossas ideias.

Aluno relapso – problema de educação.

Servidor incompetente – distúrbio na máquina administrativa.

Companheiro invigilante – ameaça constante na marcha.

Coração intranquilo – inquietude nos corações alheios.

A madeira que se submete às mãos do operário se adorna de linhas, a fim de preencher a finalidade a que a destinam.

O barro submisso – transforma-se em vasilhame útil.

A terra humilde, crestada pelo abandono, deixando-se conduzir, metamorfoseia-se em jardim ou floresta abençoada.

No campo da mediunidade é indispensável que o médium ofereça também a sua parte, mínima que seja.

Não se pode compreender intercâmbio mediúnico sem comunhão espiritual.

Para uma boa comunhão espiritual exigem-se fatores básicos que são essenciais.

Os Espíritos superiores preferem, evidentemente, os Espíritos encarnados que buscam ascender.

Só há sintonia quando se dá uma afinidade psíquica harmoniosa.

Foi em razão disso que o Espírito de Verdade, construindo a obra imortal da Doutrina Espírita, preconizou aos Espíritos a necessidade da instrução.

Ninguém espere chegar ao Reino dos Céus, enquanto caminha na Terra, sem a cooperação daqueles que o precederam na marcha evolutiva.

Ninguém aguarde ascensão, relegando aos instrutores do Além-túmulo a tarefa que lhe compete.

É necessário intercâmbio útil e nobre na mediunidade, para que o caráter do médium se lapide e possa oferecer sempre um plasma plástico, maleável às tarefas do bem. Convém não esquecer que em toda comunhão mediúnica a parte doadora dos Espíritos está na razão da parte receptora dos homens.

Busque o intercâmbio mediúnico, mas não olvide que intercâmbio é cooperação e que, para o bom sucesso dessa cooperação, se faz necessário que você se aproxime da mesa de comunhão espiritual com as mãos cheias de realizações e a alma vazia de personalismo, para que a Misericórdia Divina lhe preencha o *vazio* e a sua ansiedade de sublimação floresça de alegria à doação superior.

João Cléofas

18
NA SEARA ESPÍRITA

Mesmo na abençoada seara espírita você os defrontará. Trânsfugas de muitos deveres aportam ao Espiritismo para se redimirem. Todavia, em breve, ei-los que surgem prepotentes e dominadores.

A Doutrina que os acolheu transforma-se em campo de lutas onde se guardam, escudando-se nos seus ensinos e os arremessando como lanças e dardos venenosos contra os outros.

Fazem-se defensores do ideal e apropriam-se indebitamente da conceituação de espírita para zurzirem, combaterem, conceitos abalizados, discutirem imponderadamente, dificultando a produtividade dos companheiros.

Suas mãos escrevem diretrizes seguras e, no entanto, eles caminham perturbados. Falam e expõem conceitos abalizados, para logo depois tropeçarem em erros, cometendo crimes de complexa terminologia.

Estão atentos em toda parte, repontam em todo lugar.

Acreditam-se defensores da pureza doutrinária da Terceira Revelação e, ociosos, demoram-se à espreita, com os celeiros da ação vazios de feitos.

Apegam-se, intolerantes, ao *corpo* de Jesus Cristo sob este ou aquele aspecto, e olvidam a moral vivida e ensinada por Ele, no corpo da Sua doutrina.

O Espiritismo é Ciência – dizem, e conduzem-se levianamente.

O Espiritismo é Filosofia – afirmam, e procuram viver bem.

O Espiritismo não é religião, Kardec o asseverou" – pontificam, eximindo-se a uma conduta condicente com os ensinos do Cristo tão bem examinados e preconizados pelo codificador.

Kardec disse ou *Kardec não escreveu* é tema habitual e arma de afiado gume, mas pouco lhes importa o que Kardec fez em nome do amor, da moral e da caridade, seguindo a Jesus, o Mestre por excelência.

O Evangelho, para esses exegetas e pesquisadores, é todo contradições, resguardando-se no dever de *separarem o joio do trigo*. A breve turno, transferem o Senhor para a galeria mítica de Israel, empolgados, embora, com o Paracleto que Lhe reflete e projeta a Pessoa inconfundível.

Se isto não está explícito em Kardec, deve ser posto à margem – opinam, imperturbáveis, conquanto o codificador declarasse em *A Gênese* que "se uma verdade nova se revelar, ele (o Espiritismo), a aceitará", embora, prossegue, o sublime instrumento das vozes: "a Doutrina (espírita) é, sem dúvida, imperecível, porque repousa nas Leis da Natureza, e porque, melhor do que qualquer outra, corresponde às legítimas aspirações dos homens".

Combatem a ignorância intelectual e demoram-se escravos das derrocadas morais; condenam quaisquer tentativas de divulgação doutrinária que lhes não siga o talante; guardam azedume de referência a tudo e a todos.

Dizem-se progressistas, apoiando-se no cientificismo hodierno, mas a Doutrina Espírita deles nada recebe, porque lhes faltam as bases morais do caráter íntegro, que valem mais do que os discursos brilhantes e os excelentes compêndios que escrevem.

Onde a virtude falece, as esperanças sucumbem e as possibilidades de êxito desaparecem.

Em razão disso, Jesus compôs o seu *Colégio* com onze galileus humildes, chamando Judas, um judeu ambicioso, que, tresloucado, levou-O à infâmia da crucificação.

"Espíritas! Amai-vos; este é o primeiro ensinamento; instruí-vos, este o segundo" – asseverou o Espírito de Verdade.

Ame e estude.

Ensine e ajude.

Escreva e socorra.

Pesquise e desculpe.

Não aponte erros, apresente soluções.

Não difunda enganos, sugira correções.

Não propague incêndios para destruir. Derrube somente quando puder reedificar.

Lembre-se de que o mundo tem passado sem você e continuará, depois de você passar.

É verdade que o amor sem a claridade da razão se converte em paixão, gerando fanatismo e dor. Todavia, a cultura sem amor se transforma em hediondez e criminalidade, dando origem a todos os males que se conhecem.

A inteligência que não ama se perverte.

Só a razão conduzida pelo amor se faz mestra e mãe do espírito humano, conduzindo-o livre e feliz à plenitude da vida.

Quanto lhe seja possível, opere no bem.

A morte não tarda.

Depois que se abre a cortina da vida de Além-túmulo, muita coisa se aclara na mente obnubilada ao grande impacto da desencarnação, oferecendo-nos a paisagem danificada pelo tempo que foi aplicado na inutilidade e no desperdício.

Aja, pois, sem reagir.

Erradique a mentira sem tornar a verdade odiada.

Lembre-se da afirmativa do Mestre, aliás, muito oportuna: "A cada um será dado segundo as suas obras".

E propague a Doutrina Espírita – esse vigoroso sol da vida – com entusiasmo e amor, conduzindo as almas ao país da ventura inefável e da felicidade perene, porque "a Humanidade não é a espécie humana e não compreende a universalidade dos homens: a Humanidade é a memória dos mortos inspirando e guiando os vivos; é a suma de todos os altos pensamentos, de todos os nobres sentimentos, de todos os grandes esforços, referidos a um só e mesmo ente, cuja alma é formada por esse conjunto, e cujo vasto corpo é constituído pelos vivos" – ente que transcende a tudo e a todos – consoante afirma Jozé Lonchampt, no seu *Ensaio sobre a oração*, embora sua condição de positivista.

A Doutrina Espírita é luz; divulgue-a e você defrontará a felicidade na conjugação formosa do verbo consolar.

Lins de Vasconcellos

19

Mensagem de encorajamento

Companheiro, ponha-se de pé e siga os corações que rumam confiantes.

Doe as aflições ao tempo, cubra-se com o manto da esperança e avance intimorato.

A multidão chora e sorri. Misturam-se lágrimas e sorrisos, abafados por retinir das taças finas que contêm os vapores da morte e os fluidos da loucura.

Possivelmente, os anseios lhe atormentam o coração ansioso... Mas os que buscaram a enganosa liberdade demoram-se nas prisões que a própria delinquência ergueu, inquietados pelo tigrino clamor das multidões desvairadas e o zurzir impiedoso da consciência em desalinho.

Alçando o pensamento ao Grande Bem, você pode chegar à paz íntima, embora carregue as cicatrizes do sentimento, porfiando na conduta reta.

O tempo é mestre: benfeitor e justiceiro. Tudo refaz, tudo apaga, tudo corrige.

Com o tempo, o grão de areia se transforma em valiosa pérola aprisionada no íntimo da ostra, até um dia...

Com o tempo, o carvão humilde se transforma em diamante precioso encastelado na montanha poderosa, até um dia...

Com o tempo, a semente pequenina incha-se no seio da terra, transformando-se, até um dia...

Com o tempo, o débil embrião da vida se desenvolve modificando a própria estrutura, até um dia...

Com o tempo, o regato humilde atinge o mar, vencendo a distância e obstáculo.

Com o tempo, a Mensagem do Cristo se espalhou sobre a Terra convidando o homem à tecelagem do manto nupcial para o matrimônio da Humanidade com a Vida, um dia...

Enxugue o suor da ansiedade.

Guarde as lágrimas da inquietação.

Amanhã, talvez, o trabalho exija suor e lágrima em honra à felicidade de ser feliz.

Escude-se na dor dos outros e avance.

Lembre-se dos que caíram somente para os ajudar.

Olhe os vitoriosos da luta e siga com eles.

Não se preocupe por você ter tombado *ontem*, na escuridão. Agora brilha a luz da verdade em seu caminho.

Vença a tristeza nascida na recordação da própria fraqueza. Encha a alma com a alegria de *tudo poder em Cristo*.

Todas as coisas passam, na Terra, à semelhança das belas flores e dos espinheiros no mesmo jardim.

No Grande Além, no entanto, há sempre luz.

Não se aflija com as necessidades imperiosas de abandonar as flores da ilusão, sofrendo os espinhos que conduzem à reflexão.

Aceite hoje os acúleos, coroando-lhes a cabeça, para que um braseiro de remorsos não lhe arda na consciência mais tarde.

Atenda e socorra o próximo, atendido e socorrido pelo Céu.

Sem desfalecer nem recear, repita: "Com Jesus vencerei!", e mais fácil lhe parecerá a redenção.

Amigo do Cristo, ponha-se de pé e siga arrimado ao espírito de luta dos que se alçam à Vida, carregando, como você mesmo, sofrimentos e aflições.

Scheilla

20
Kardec, o codificador

Guerreiros e heróis passaram pela História em caudais de sangue e desespero, erguendo impérios grandiosos que se esboroaram depois...

Famílias beligerantes, aliciadas com a nobreza de todos os tempos, ergueram cidades famosas que os tempos venceram...

Conquistadores e reis engalanaram-se com os despojos dos povos vencidos, construindo impérios que se esfacelaram...

E deles nada resta que não esteja enegrecido pela fuligem dos tempos, batido pela voz lamentosa do vento, testemunhando a vacuidade das glórias temporárias. Muitos dos seus monumentos e templos, sepulcros e altares aparecem hoje desfigurados e carcomidos pela volúpia dos séculos.

Átila, o huno, considerado o *terror de Deus*, depois de inomináveis carnificinas, experimenta a agonia da desencarnação, deixando desagregadas suas terríveis legiões bárbaras...

Alarico, o visigodo, depois de invadir a Trácia, dominar a Grécia e apoderar-se de Roma, avançando em direção à Itália Meridional, sedento de novas conquistas, morre, logo depois, às margens do Busento, sob cujas águas foi sepulto...

Gengis Khan, o conquistador mongol, que afirmava ter recebido da divindade a missão de conquistar o mundo, após estender o seu império desde o mar da China até às margens do Dniéper e matar quase cinco milhões de pessoas, sucumbe, após sangrenta batalha em Pequim, no fastígio do poder...

Tamerlão, o fundador do segundo império mongol, vencedor da Ásia e da Europa, após atrocidades indescritíveis, desaparece na voragem da própria alucinação, odiado e vencido...

Os Bórgias e os Médicis, os Habsburgs e os Bourbons, que dominaram a Europa manejando o punhal como a intriga, o veneno como o ódio, foram igualmente tragados na volúpia da insensatez, vencidos pela própria animosidade...

Mary, a sanguinária, ou Isabel, a virgem, e todos os grandes condutores de impérios, embora os lauréis com que se cobriam, não puderam vencer a inapelável imposição da vida: a desencarnação.

...E Godefroy de Bouillon, Frederico Barbarossa, Ricardo Coração de Leão, Felipe Augusto, Simão de Montfort, Estêvão de Vendôme, Nicolau de Colônia e quase todos os cruzados da nobreza, que se aventuraram nas lutas pela conquista de Jerusalém, mais por amor aos haveres dos pagãos e às glórias temporárias do que por fidelidade a Jesus, foram vencidos pelo tempo, partindo da Terra em lamentáveis condições...

No entanto, todos quantos permutaram o cetro do poder pela cana singela da humildade, os sólios grandiosos pelas palhas da pobreza, como o fez o *Pobrezinho de Assis*, legaram à posteridade um tesouro de esperança e luz, como marcos indeléveis da sua passagem pelo mundo.

Felizmente, à época do desequilíbrio das instituições, na sociedade passada, em França, a Terra recebeu de Allan Kardec – o excelente embaixador dos Céus – a formosa mensagem da Codificação Espírita, que traça roteiros novos para o espírito humano, numa hora de amargura para os povos e de crepúsculo para a verdade.

E agora, quando a Tecnologia favorece o conforto e a Ética se perverte para atender aos impositivos de uma sociedade em soçobro, recordamos os vencedores-vencidos de ontem, para conclamar os que se demoram fiéis ao roteiro do Evangelho, que prossigam dignos e intimoratos, embora nem sempre o consenso humano lhes chegue aos ouvidos em forma de lenitivo e apoio.

Recordando o passamento do mestre lionês, que estabeleceu em linhas firmes as diretrizes sublimes das Leis de Deus, respeitemos, no Espiritismo, a pedra angular do edifício do futuro, onde se erguerá a Catedral da Luz, sob a inspiração de Jesus Cristo que, Vivo e Atuante de braços abertos, consolando a aflição, instalará, na Terra, o esperado Reino de Deus.

Vianna de Carvalho

21
Templo espírita

Lentamente, vai-se generalizando nos centros espíritas uma prática que é, positivamente, afrontosa ao lema que ostentamos em memória do codificador do Espiritismo: *Fora da caridade não há salvação.*

Tal prática, conquanto fosse, inicialmente, revestida das melhores intenções, objetivando fins elevados, vai-se tornando, pela repetição, um abuso que necessita ser coibido.

Desejamos referir-nos aos chamados movimentos financeiros, tais como: apelos de dinheiro, venda de rifas, brincadeiras cômicas para aquisição de moedas, concomitantes ao serviço de difusão doutrinária, em nossas casas de pregação e assistência.

Nesse sentido, recordemos a linguagem vibrante de Jesus aos vendilhões do Templo, em Jerusalém, que transformavam o recinto de orações em balcões de comércio.

Naturalmente é justificável que pessoas idôneas, desejosas de angariarem fundos para construção de recintos destinados à caridade, no Espiritismo, se sintam constrangidas a utilizar o velho recurso das *tômbolas* íntimas, dos *movimen-*

tos internos em que as moedas de contado veiculam, para serem transformadas em pães, agasalhos e teto para sofredores e desabrigados.

Não podemos desmerecer esse honroso trabalho, por ser, em verdade, muito nobre pedir para dar.

Aquilo a que nos referimos diz respeito ao hábito, que já se vai tornando perigoso, de prejudicar o nobre labor da pregação, nas sessões habituais, transformando-as em festas apresentadas e impondo, consequentemente, àqueles que ali vão em busca de lenitivo para as suas aflições morais, doar moedas que, muitas vezes, se destinam às necessidades do lar, como que em pagamento antecipado pelos benefícios que venham a receber. Certamente, os organizadores de tais movimentos não desejam cobrar dos frequentadores de suas casas quaisquer importâncias em dinheiro. Pedem, somente, aos que desejam dar, mas, ainda assim, tal procedimento impressiona mal.

Dar pão, agasalhar, medicar e cobrir são manifestações muito elevadas da caridade; no entanto, não esqueçamos que o nosso Mestre e Senhor não descurou, um só momento, a sementeira da palavra edificante, através do esclarecimento justo e oportuno em todos os tempos e lugares. Mesmo em silêncio, sua mudez era uma reação ao erro, deixando entendido não concordar com os excessos e as futilidades.

Necessitamos, atualmente, mais da palavra, que é "Pão da Vida", do que do pão do estômago, que não resolve as necessidades da vida.

Em nossa organização estatutária afirmamos, normalmente, que nos reunimos para "estudo e prática da Doutrina Espírita, organizada por Allan Kardec". Todavia, nossos centros estão sendo tomados de assalto, embora com respeitáveis exceções, pelo mercantilismo da caridade material, relegando-se a plano secundário a expressiva, profunda e imorredoura caridade do esclarecimento espiritual, que pode ser desdobrada na pregação oral e na difusão do livro que orientam e renovam; no serviço de desobsessão, que liberta e esclarece; no passe socorrista, que ajuda e revigora; na doação da água magnetizada, que tonifica e robustece; no estímulo à oração, que consola e edifica, e nos testemunhos de fé, através de atitudes definidas na vida doutrinária, que favorecem o homem com a lição vibrante do exemplo que grita a recomendação de não repetir equívocos, aproveitando o tempo, antes gasto na inutilidade.

Existem meios outros, ao nosso alcance, que podem ser utilizados pra granjear recursos financeiros para a assistência ao programa social, em nome do Evangelho, reservando-se, para tal fim, dias próprios, de caráter festivo, sem se modificar o roteiro da difusão doutrinária do Espiritismo nas sessões para tal fim destinadas. Uma hora e meia, duas vezes por semana, é tempo muito breve para a sementeira iluminativa da Palavra. E, por isso mesmo, não pode ser usado indevidamente.

Estudar a obra do codificador, comentá-la, difundi-la e vivê-la é a maior caridade que o espírita pode realizar, não esquecendo, naturalmente, o serviço de amor ao próximo, pelo qual a Doutrina propugna.

O dinheiro que tanto faz falta para a materialização da caridade, em nosso meio, representa algo, mas não é tudo, porque, se verdadeiramente fosse essencial, as instituições que guardam importâncias vultosas, nas casas bancárias dos principais países do mundo, estariam realizando a prática abençoada do Evangelho pregado pelo Itinerante Galileu. Cuidemos zelosamente da propaganda do Espiritismo, vivendo os postulados da fé, honrando o templo espírita e iluminando as almas que o buscam esfaimadas de pão espiritual, para não incidirmos no velho erro de que os objetivos nobres de socorro justificam os meios pouco elevados que têm sido utilizados.

Recordemos que o Pioneiro do Amor e da Caridade nasceu sobre as palhas de uma estrebaria, vivendo entre pobres e simples, sem recursos. No entanto, fez-se, pela palavra e pelo exemplo, o grande propagandista da fé viva que esposava, escolhendo doze agentes humildes para a difusão doutrinária.

Elegeu, por escola, verdejante outeiro, em cujo topo ensinou as libertadoras verdades do Reino de Deus.

Lembrando-Lhe o exemplo, façamos a propaganda eficiente e honesta do Evangelho e do Espiritismo em nossos templos, conservando a simplicidade e a austeridade que cativam, sem aparato, e inspiram sem manifestação exterior, dando vitalidade às nossas casas.

O templo espírita é escola de Espiritismo é hospital de Espíritos. Se o estudante comum tem compromissos com a sociedade e o mestre-escola tem responsabilidade com as gerações que passam pelo seu gabinete, também o estudante espírita tem compromisso com o Mestre Divino, e o pregador tem deveres e responsabilidade com a alma dos alunos.

Negligenciar tais deveres é desrespeitar o salário da fé e paz interior que recebe para o honroso cumprimento das tarefas.

Na condição de aprendiz, o crente tem o dever de frequentar o templo espírita. Mais do que isso, tem a obrigação de reunir-se aos companheiros, semanalmente, para estudar as obras de Kardec e desenvolvê-las, associando-as ao Evangelho de Jesus. Assim, não há como deixar de frequentar o núcleo, pelo menos duas vezes por semana.

Quantas enfermidades em desenvolvimento silencioso são atendidas discretamente pelos Espíritos superiores, durante uma sessão espírita? Quantos males são evitados enquanto se participa de um culto espírita? Quantas bênçãos se recolhem num templo espírita, durante o ministério doutrinário? São indagações oportunas que merecem meditação.

Temos uma dívida muito grande com o Espiritismo.

Por isso, a tarefa é de todos e os esclarecidos devem trabalhar, contribuindo para o esclarecimento de outros.

Dentro do mesmo ângulo, o pregador não tem o direito de usar o templo espírita para chistes nem chacotas, desviando das diretrizes básicas do trabalho a oportunidade de servir.

Atenhamo-nos à fé espírita, fé que nos libertou das pertinazes enfermidades do espírito; que nos esclareceu a respeito da nossa sublime destinação; que baniu de nosso caminho o pavor da morte; que desvelou o Evangelho de Jesus Cristo; que nos apresentou Deus como a Suprema Justiça e a Suma Bondade, pelos conceitos racionais que nos ofereceu; que nos libertou das obsessões cruéis; que nos ajudou a estender a tolerância e a piedade aos inimigos e retirou-nos da ignorância, favorecendo-nos com o entendimento aos problemas morais-sociais, através da reencarnação...

Por isso, honrar o templo espírita é preservar o Espiritismo contra os programas marginais, atraentes e aparentemente fraternistas, mas que nos desviam da rota legítima para as falsas veredas em que fulguram nomes pomposos e siglas variadas.

O templo espírita é como um colo de mãe narrando a verdade atraente e bela ao filho querido.

Dentro desse roteiro, cada templo espírita se responsabilizará pela assistência social na região de sua sede, de acordo com as possibilidades que lhe forem surgindo.

Honremos, pois, o templo espírita, fazendo dele a nossa escola de aprendizagem e renovação, para que o Espiritismo se honre conosco, felicitando-nos a vida!

Djalma Montenegro de Farias

22

ORAÇÃO PELO PEQUENINO

Jesus:
Abra-me os braços para que meu coração afague todas as avezinhas da infância, espalhadas no caminho da minha vida. Ainda implumes e tombadas do ninho a rés do chão, aguardam ternura e socorro imediato.

Deixe que em meu seio o amor construa um teto para albergar todos esses pequeninos sem-nome, cujo grande lar é o infortúnio nos caminhos desertos e cujo leito é a estrada malsinada por onde trafegam os incautos.

Tome das minhas mãos e ajude-me a fixar caracteres na argila frágil das suas mentes, modelando com os instrumentos do meu sacrifício a forma delicada do dever, traçando linhas de conduta cristã que lhes exorne o Espírito nos dias de amanhã. Bem sei que os homens do futuro são as criancinhas de agora e cuidar delas é construir o mundo novo.

Imponha à minha alma, agora, o respeito por esses cidadãos do porvir.

Ajude-me a dilatar a débil capacidade do meu querer, fazendo-o recender como um perfume de jasmim, a fim de que sendo:

Mãe – eu lhe ofereça o bisturi para que o meu peito seja rasgado, se necessário, e dele jorre a seiva do encantamento maternal que os fortifique e engrandeça na via do crescimento.

Mestra – eu tenha voz mansa, os olhos serenos e a mão cariciosa, no instante do afago ou da reprimenda, à hora da alfabetização ou no momento punitivo.

Esposa – eu O conduza comigo, para que, se meu ventre negar-se ao ministério sagrado da procriação, eu possa encontrar, nos filhos de outras mães, a continuação da vida que a carne não me pôde propiciar.

Irmã – eu seja possuidora da boa palavra na hora oportuna e do silêncio compreensivo no instante azado.

Amiga – eu me conduza de tal forma que na amizade sintetize toda a pureza de mãe, a sabedoria de mestra, a nobreza de esposa, a bondade de irmã e a obrigação de amiga fiel, porque a infância, Jesus, é o grande solo donde será arrancada a Humanidade nova para a exaltação gloriosa do Evangelho.

Amélia Rodrigues

23
Evangelização espírita

Enquanto bruxuleiam as chamas da moral nos céus supercivilizados da sociedade hodierna, surge o *sol espírita* colorindo as nuvens carregadas, com as claridades da esperança.

Não mais a ostentação religiosa expressando a força do seu poder; não mais os arrazoados descobrimentos da Ciência com flagrantes desrespeitos à vida; não mais arengas filosóficas perturbando as mentes interessadas na decifração do enigma do ser; não mais argumentações de lógica teológica, inspiradas em velhos sofismas adaptados às próprias conveniências, mas inabalável certeza de continuação da Vida após a decomposição celular do corpo. Porque as vozes voltaram a falar, afirmando a indestrutibilidade do princípio espiritual.

Num apogeu que também expressa o início crepuscular de um ciclo evolutivo o homem cambaleia, seguindo aparentemente o rumo do desequilíbrio.

A Ciência abre a cortina de todos os mistérios tradicionais e conduz o pensamento para os seus extraordinários descobrimentos. No entanto, enquanto naves e satélites artificiais se aventuram além da órbita da Terra, o homem se queda aquém da linha divisória dos deveres morais.

Ao mesmo tempo, escolas filosóficas de variadas conceituações favorecem o raciocínio, sem, contudo, atenderem às exigências espirituais do ser pensante. E, por sua vez, a fé, não oferecendo base segura aos fiéis que lhe eram submissos, atirou-os no tumulto de desenfreado egoísmo e pertinazes fanatismos.

Em razão disso, o homem que dominou o átomo e a estratosfera continua enigma em si mesmo, atormentado no recesso do ser pelos mesmos problemas de todos os tempos. Todavia, é neste homem e neste século de realizações algo paradoxais que a Doutrina Espírita está construindo a nova Humanidade, preparando a Era do Espírito.

Nesse "chegado tempo" de que nos falam os sagrados escritos, não compactuará a austeridade da fé com os desequilíbrios sociais, nem se ligarão as aspirações transcendentes às paixões desordenadas.

Período de poder bélico e renúncia guerreira.

Século de fulguração intelectual e simplicidade de espírito.

Dias de sabedoria e moralidade.

Na impossibilidade, porém, de tudo modificar de um só golpe, removendo todos os óbices com um só movimento, volta Jesus a sua atenção para a criança, essa herdeira de todas as civilizações.

A criança ainda é o sorriso do futuro na face do presente. Evangelizá-la é, pois, espiritualizar o porvir, legando-lhe a lição clara e pura do ensinamento cristão, a fim de que, verdadeiramente, viva o Cristo nas gerações de *amanhã*.

A tarefa de edificar o Reino de Deus no coração juvenil é a nossa atual gloriosa tarefa: salvar o futuro!

Tomemos a criança, essa esperança de todos nós, e marchemos em doce colóquio pela estrada quilometrada do Evangelho, recitando, através de atitudes sadias, o florilégio da Boa-nova, ao ritmo das severas e racionais modulações com que a Doutrina Espírita ressuscita Jesus Cristo na atualidade.

Quem evangelize uma criança prepara para si mesmo um berço ditoso para o futuro.

Não desanimemos se outros negacearem com o dever.

Perseveremos, embora não colhamos de imediato os ótimos frutos com que sonhamos.

Insistamos, mesmo quando os resultados não sejam os esperados. Em tais casos, busquemos melhorar métodos, aperfeiçoar lições e prossigamos resolutos.

Nenhuma edificação pode ser consolidada num momento.

O coração da criança é o solo a cultivar, eivado de dificuldades. Arroteemos o terreno à nossa disposição, adubemo-lo e atiremos nele as sementes do Evangelho. Jesus fará o resto. Brilhará, um dia, a flor de luz da verdade, no jardim por onde hoje caminham os nossos pés a serviço do Mestre Infatigável.

Francisco Spinelli

24
O ANJO DO AUXÍLIO

Momentos antes que o Mestre Divino visitasse a Santíssima, na noite inesquecível da sua desencarnação, profunda amargura sombreava as recordações da *Rosa Mística de Nazaré*.

Lembrava com emoção os lances que anteciparam a chegada do Filho inolvidável e as circunstâncias em que os fatos ocorreram desde então. Tudo parecia ter acontecido numa atmosfera de felicidade entre anseios e júbilos. Era como se a Terra se demorasse vestida de uma imorredoura primavera, adornada de quadras de luz e cor a suceder-se, uma após outra, em constante festa para o seu coração ditoso.

O nascimento inesperado, em Belém, no leito humilde de palha, a apresentação no Templo, as profecias...

Depois, as visões de José, a fuga para o Egito e o retorno tranquilo ao lar...

Os anos de convivência e as mil nonadas da existência ao lado d'Ele, tudo lhe voltava à mente com nitidez invulgar.

...E chegava ao capítulo das apreensões. A hora da despedida, quando Ele partira para o Ministério em nome do

Seu Pai, retornava ao cérebro, trazendo-lhe as aflições daquele momento.

As notícias chegavam-lhe aos ouvidos naquele tempo com a celeridade dos ventos; as exposições feitas nas sinagogas, as curas que se operavam ao contato das suas mãos, as multidões exaltadas, as pregações às margens do lago, as longas caminhadas e todos os acidentes marcantes desde as bodas de Caná até o terrível momento em que João, transfigurado de dor, veio dar-lhe a notícia cruel da prisão d'Ele.

Tomada pelas lágrimas, voltou a experimentar as agonias desde aquela hora até o momento da cruz ignominiosa onde Ele expirara.

Retornava em pensamento às notícias desencontradas que correram entre os servidores da Boa-nova.

Parecia escutar o coração acelerado da jovem de Magdala ao narrar-lhe o encontro com o Mestre Redivivo...

Evocava a visita ao Cenáculo e a ascensão na Galileia querida onde ela tanto amara...

Logo depois, as perseguições que caíram implacáveis sobre Aquele cujo único erro era o Amor a todos os homens foram motivo de rememoração. Sentia que a sede desses adversários não se aplacava, exigindo novas vítimas e novos mártires. As informações chegadas de Roma eram alarmantes...

Maria não pôde conter o pranto. No tumulto das emoções a atormentarem o seu coração sensível, lembrou-se daquelas mães que tinham os filhos atirados às feras em loucas orgias na arena terrível...

E enquanto as lágrimas lhe caíam dos olhos sobre o piso humílimo da casinha de Éfeso, Maria rogou por todas as mães, pedindo a Ele que as amparasse, adornando-as de luz e fé no auge das suas aflições.

Foi então que, atendendo ao apelo da Mãe Santíssima, o Senhor enviou à Terra o nobre anjo do auxílio para socorrer todas as mulheres no sagrado mister da maternidade...

Quando você escutar o murmúrio de doces e consoladoras expressões junto aos ouvidos, à hora da aflição, recorde a Mãe de Jesus e, reanimada, volte à luta.

Procure receber a mensagem do anjo do auxílio e, dilatando as antenas psíquicas, tente comungar com ela, continuando a sua sublime e áspera missão de mãe. O anjo do auxílio seguirá com você.

Eurípedes Barsanulfo

25
No serviço do passe

Há muitas dores esperando pelo socorro das mãos voltadas para a caridade.

Enquanto alguns se detêm a examinar a própria aflição, limitados nas questiúnculas insignificantes do caminho, muitos em desesperada agonia esperam por alguém...

Não é necessário que a saúde se enfloresça em suas carnes para que a possibilidade de ajudar surja vitoriosa.

A massa nutriente cresce em plena fermentação.

O trigo benfazejo desenvolve-se nas largas faixas de terra úmida.

O bem se alarga nas áreas que vão ser drenadas.

Não se acredite, assim, sem recursos para o milagre do auxílio.

Dê o seu pouco e constrangerá aquele que tem muito a dar alguma coisa.

Do que valem tesouros guardados e joias enterradas?

A moeda singela que se converte em pão é mais rica do que a fortuna que morre no cofre da usura.

Cada um serve como pode, utilizando com sabedoria o de que dispõe.

A contribuição do pedreiro é desenvolvida no barro lamacento, onde surge o alicerce do edifício para que o decorador complete a paisagem com murais de nobres artistas e tecidos de alto preço.

Faça o que lhe cabe e os outros se verão obrigados a fazer por você o que lhe seja talvez impossível fazer por eles.

Nesse sentido, lembre-se da bênção de Jesus...

O passe é mensagem ativa de amor, desdobrando os tesouros da bondade pessoal para o enriquecimento da alma da Humanidade.

Ore e doe-se confiante.

Erga as mãos e converse com Jesus...

Recorde-se de Pedro, exortando o paralítico, à entrada do Templo de Jerusalém: "Não tenho prata nem ouro para te dar; mas o que tenho dou-te: levanta-te e anda em nome de Nosso Senhor Jesus Cristo", e faça o mesmo.

Não se detenha no exame das inferioridades próprias.

Quem não guarda problemas íntimos de solução demorada, enquanto na Terra?

Esperar a paz interior para ajudar os outros na conquista da paz é condená-los a demorado abandono e prolongada agonia.

Converta suas mãos em conchas de luz a espargirem saúde e alento.

As mãos que dão passes, enquanto sofrem, são como roseiras que perfumam aqueles que lhe reclamam os espinhos.

Mãos no trabalho do passe são como flores na cruz do dever espalhando alegria.

Não inquira quanto à origem do sofrimento nem procure penetrar nas nascentes das lágrimas dos outros.

Ajude e entenda, socorra e silencie.

A água que dessedenta venceu muito lodo entre a fonte e o copo transparente.

Quanto possível, estruture na alma a confiança em nosso Pai, rogando a Ele transformar a sua vida em claridade para a vida dos outros e adapte as suas possibilidades à máquina do Bem Constante para que o bem invariável acione e conduza sua mente e seu coração à verdadeira felicidade.

Aura Celeste

26
Aos médiuns

No exercício mediúnico você encontrará dificuldades e óbices aparentemente superlativos, tentando impedir-lhe a ascensão. Óbices do personalismo destruidor, dificuldades do egoísmo avassalante. Obstáculos que lhe ferem os pés, a brotarem do solo, compromissos que o prendem ao potro das próprias necessidades.

Entretanto, além desses que são habituais, você defrontará os adversários do passado, fascinando-lhe a alma com a linguagem terrível da obsessão.

A princípio, mediante intuições negativas, buscarão semear dúvidas para que você não se encoraje na luta; depois, por pensamentos cruéis, perturbando-lhe a estabilidade emocional, para que você se detenha na jornada evolutiva; através de ideias macabras, ferindo-lhe os sentimentos, a fim de que você se desiluda em relação aos companheiros que, atormentados em si mesmos, o enxergarão através das lunetas de que se utilizam para a visão...

Você terá as ideias estilhaçadas pelos projéteis mentais dos pensamentos deles.

Você sofrerá o assédio constante e, do círculo de fogo em que sua resistência não poderá baquear, muitas torturas lhe afligirão o mudo íntimo.

Não se detenha, porém. É urgente seguir adiante.

Se os obstáculos estiverem em seu imo, clareie a alma com a labareda da fé. Acenda no coração a chama do dever e confie na Divina Providência, que está edificando o mundo novo com o barro deficitário da criatura velha.

Se os obstáculos surgirem fora de você, detenha-se um pouco a meditar para prosseguir. Novamente procure o culto da oração.

Não se agaste com os companheiros, não acione a lâmina ferinte, revidando golpes recebidos. Lembre-se de que também eles são atormentados do caminho.

É indispensável que você evolua para que eles evoluam com você.

Se, apesar de tudo, você identificar nas suas dores a força poderosa dos companheiros desencarnados, procure ainda uma vez mais o santuário da prece e refugie-se em oração. Vítima de hoje, algoz de ontem.

Somos todos herdeiros de nossos erros...

Como ninguém foge às Leis de Causa e Efeito, justo é que se imponha o resgate.

Alegre-se por tudo isso e transforme suas dores em oportunidade de meditação, conduzindo o fardo da sua mediunidade de provação – essa porta de luz – dignamente, a fim de poder galgar o monte de sua sublimação e penetrar, jubiloso, na Vida estuante.

Quem serve ao Senhor através dos recursos mediúnicos encontra justos motivos de provação e dor.

Não é lícito esquecer, todavia, que Ele mesmo, o Médium Excelso, desdenhado, perseguido e caluniado, transformou o instrumento de Sua aflição em uma escada gloriosa, através da qual estabeleceu a ponte de luz entre o mundo físico e o Mundo espiritual.

Assim você identificará, através da senda mediúnica, as dificuldades testando-lhe a resignação, para que assim, sem ninguém e entre todos, a sós e na multidão, você se possa ligar realmente aos Planos superiores da Vida, alçando voo de longo alcance em busca da liberdade plena.

João Cléofas

27

NECESSIDADE DE ESTUDO

Através da pergunta 780 de *O Livro dos Espíritos*, o esclarecido codificador da Doutrina Espírita interrogou os embaixadores divinos:

O progresso moral acompanha sempre o progresso intelectual?

E as vozes celestiais responderam:

Decorre deste, mas nem sempre o segue imediatamente.

O ínclito pesquisador das verdades eternas voltou a interrogar:

a) – Como pode o progresso intelectual engendrar o progresso moral?

A resposta foi clara:

Fazendo compreensíveis o bem e o mal. O homem, desde então, pode escolher. O desenvolvimento do livre-arbítrio acompanha o da inteligência e aumenta a responsabilidade dos atos.

Depreende-se que o Espiritismo, ao inverso das outras Doutrinas, cultiva o estudo, favorecendo o discernimento com largueza de vistas em relação aos problemas intrincados da alma encarnada.

Anteriormente as religiões majoritárias prescreviam diretrizes salvacionistas de fácil acondicionamento, que facultavam aos crentes o ingresso no *paraíso* com a humilde contribuição de alguma penitência, embora nem sempre de caráter legítimo.

Arquitetaram um *Céu* como um *inferno* indefiníveis nas suas expressões reais, padronizando as leis eternas e imutáveis por meio de decretos ousados, longe da ética cristã e da razão.

"O sacerdote disse", e simplificavam-se os destinos imortais que se emparedavam em cânones estreitos e atentatórios à dignidade da vida.

Mais tarde a Ciência, libertando-se dos freios dogmáticos, criou também o seu "O mestre disse" sem qualquer expressão científica.

À Doutrina Espírita coube, porém, o indeclinável dever de penetrar em todos os ramos do conhecimento para interpretar os enigmas da Vida espiritual, elucidando os graves conflitos da psique humana.

O homem é o que pensa – eis a nova fórmula. Nem o que demonstra nem o que dele se pensa.

A vida íntima, a de natureza mental, significa o *ser* no seu estado real.

Esclarecido, disciplina-se e, disciplinado, dignifica-se.

Por isso, "o progresso completo constitui o objetivo", como também afirmaram os Espíritos, porquanto são os atos que definem o caráter, oferecendo a contribuição para o mérito ou desmerecimento do indivíduo.

Em sua origem – esclarece o Espírito Lázaro – o homem só tem instintos; quando mais avançado e corrompido, só tem sensações; quando instruído e depurado, tem sentimentos.

Todavia, pra que o Espírito se liberte dos instintos, faz-se mister freá-los, e para que se desprenda das sensações é indispensável que se esclareça.

Não se acredite, porém, que a evolução seja um impositivo da intelectualidade apenas. Se assim fosse, aqueles que se demoram distantes dos centros de cultura e estivessem limitados nos recursos financeiros e sociais, dificilmente poderiam atingir o estado de libertação desejada.

Temos o exemplo, a se repetir em mil fatos, de que o progresso moral não depende exclusivamente do progresso intelectual. No entanto, mesmo quando o Espírito reencarna limitado num quadro de valores subalternos e progride, traz em si mesmo, em gérmen, os fatores intelectuais que constituem elementos essenciais à superação dos impositivos materiais.

Jesus escolheu homens rudes e ignorantes, não, entretanto, Espíritos ignorantes e rudes.

O Espírito, sabemos, é o ser.

Nele estão os elementos eternos que mantêm o transitório equilíbrio da organização celular.

Desenvolver as possibilidades intelectuais, iluminando a mente e libertando o coração, eis os objetivos da reencarnação para lobrigar o êxito a que se propõe.

Não se pode, portanto, em matéria de fé, desdenhar os conhecimentos científicos nem as lições filosóficas, como se proviessem de mentes satânicas em competições de aniquilamento.

A paz depende, sobretudo, da razão.

Quando a razão se ilumina, o coração se eleva, santificando os impulsos e revigorando os sentimentos, o bem e o mal perdem o aspecto dualista para surgirem na feição do Eterno Bem, presente ou ausente.

Todas as coisas, mesmo as lamentáveis, não raro apresentam a "boa parte", ensejando, quando lastimáveis, lições e convites à vigilância e ao equilíbrio.

Por isso mesmo crê mais aquele que compreende e não o que vê, ouve, ou que simplesmente foi informado.

A autoiluminação é filha do esclarecimento intelectual.

O convite ao estudo, em Espiritismo, não pode, desse modo, ser desconsiderado.

Elaboremos programas para todos os momentos da vida e reservemos ao estudo um tempo necessário à manutenção ativa da nossa elaboração espiritual que edifique e felicite.

Penetremos a mente nas linhas da cultura e do esclarecimento e, ligados às exigências do Decálogo, inderrogável, sigamos a trilha do amor, nas bases em que o postulou e viveu Jesus Cristo, continuando firmes até o *fim dos tempos*, rompendo as cidades de luz da nossa glorificação imortal, nas densas trevas morais da atualidade.

Lins de Vasconcellos

28
Esqueça... Esqueça...

Após a tormenta, sacudida levemente por ventos brandos, a ramagem esfacelada parece dizer ao arvoredo: "Esqueça... esqueça...".

Maltratado pela impiedade do transeunte, o filete d'água, renovado pela fonte, em gotejar, parece ouvir: "Esqueça... esqueça...".

Surgindo radiosa após sorver a noite num ósculo de claridade, a manhã feliz parece cantarolar junto às flores: "Esqueçam... esqueçam a noite...".

Aplainado por instrumentos cortantes, as farpas caindo ao tronco despedaçado parecem repetir-lhe, jubilosas: "Esqueça a lâmina... esqueça...".

Triturado na máquina que o converte em pó, o grão de trigo parece balbuciar: "Esqueço... esqueço...".

Alanceado pela ingratidão, o servidor de Jesus, reunindo as últimas forças "nos joelhos desconjuntados", não tem alternativa senão esquecer... esquecer...

Esquecer todo mal para recordar e reter todo bem.

O mal não tem expressão digna de respeito; não merece a nossa inquietude.

Como a noite que desaparece vencida pelo clarão solar, o mal que nos fazem perde a significação ante a meridiana luz da verdade que buscamos.

A ostra, em se defendendo do grão de areia que a invade, converte o inoportuno visitante em pérola de alto preço.

Como a fonte ultrajada aquieta as águas para continuar dessedentando, o trabalhador de Cristo não se pode deixar empolgar pela aflição com que os outros o ferem, já que é convidado a continuar oferecendo a água lustral da paz e do amor àqueles que o cercam.

Renove-se, pois, na luta de cada dia e não se deixe azorragar pelas pedradas que atestam a resistência da sua convicção.

O cristão legítimo não se detém a contemplar o pântano, se pode remover-lhe o lodo, confiante em que encontrará terra valiosa esperando sementes.

Todo mal que nos fazem é bênção que surge em nosso caminho.

Aprendamos, assim, a converter a dificuldade em edificação e a dor em aprendizado, e nada nos cerceará o passo na marcha para a nossa destinação gloriosa.

Fixemos os nossos deveres em caracteres vigorosos na mente, no coração e nas atividades e, sejam quais forem os obstáculos e inquietudes que nos assaltem, esqueçamos...esqueçamos.

Recordemos que o Mestre Excelso, que é o nosso Modelo e Guia, compreendendo a importância do testemunho em fidelidade ao ideal, bem como considerando a infância espiritual dos homens, asseverou que: "ao ser erguido atrairia todos ao seu coração", oferecendo-se como exemplo inconfundível ante a dor e ensinando-nos que, somente vencendo todo mal, o espírito humano pode penetrar e fruir a messe sublime do Augusto Bem.

Scheilla

29

Técnica de entender

—*Espírito renitente, esse perseguidor! Onde a Misericórdia Divina, que não se compadece da vítima obsidiada?*
Considerando qualquer problema de ordem espiritual, não há como deter-se tão somente num lado da questão. Toda reação procede de uma ação equivalente. A intensidade da ira daquele que se imana a outrem em revel cobrança obsessiva é consequência da dívida do que jaz perseguido. Não há porque esperar que seja a vítima de ontem perturbada e aflita, aquele deve libertar e esquecer. O devedor que fugiu à justa punição em ocasião oportuna renasceu assinalado pela necessidade de amar e libertar-se do compromisso através do bem que faça, pela sementeira de luz que produza ou mediante a compulsória da dor. Enquanto mergulhado na névoa carnal, sempre é mais fácil – graças à limitação dos registros psíquicos que não acordam a memória para a intensidade do erro cometido – desculpar e amar.

Há obsessão porque há débito.

Renove-se o atormentado, produza na seara da ação nobilitante e mais fácil será a transformação dos que se lhe vinculam pela inferioridade e pela ira.

Deus é o mesmo Pai Magnânimo do que expunge-sofrendo como do que macera-sofredor.

❖

— No momento em que eu mais necessitava de socorro, os Espíritos guias pareceram-me distantes! Valerá, então, crer?

Os Espíritos guias são amorosos instrutores dedicados à sublimação e aprendizagem do educando na via terrestre. Nem gênios miraculosos, nem protetórios inconscientes. Instruem e consolam, orientam e inspiram. Preparam, mediante assistência carinhosa e desvelada para que nas provas de promoção a que se devem submeter os seus pupilos, estes disponham dos recursos próprios para a ascese e o progresso. Que são os sofrimentos senão resgates e as dificuldades senão exame? Como aquilatar o resultado da aprendizagem sem o concurso do teste?

Não se ausentaram os guias espirituais no momento áspero dos seus testemunhos; sofreram com você e ao seu lado o fracasso que você assinala. Educadores excelentes não realizam as lições que competem aos aprendizes nem executam as tarefas do programa evolutivo, que enseja progresso e libertação.

❖

Deixei-me arrastar à loucura por absoluta falta de força para resistir. Onde estava Deus, que me não acudiu?

A resistência da lâmina depende da têmpera a que foi submetida.

O Espírito se eleva galgando os incessantes degraus de lutas vencidas e aflições transpostas.

Deus tudo estabeleceu em leis imutáveis e inamovíveis para todos, providenciando, paternal, o cadinho purificador e santificante para os filhos incipientes na verdade e incidentes no erro.

Ante a dificuldade não transposta, você indaga: "Onde estava Deus que não me socorreu?" E onde estavam as suas elevadas convicções que não trabalharam o seu Espírito na humildade em nome de Deus; os feitos que o credenciaram ao socorro de Deus; os títulos de abnegação constante por amor a Deus; a sua irrestrita confiança, em prece honesta e meditação profunda, sobre as Leis de Deus no dia a dia da vida? "Um só Deus e Pai de todos, o qual é sobre todos, e por todos e em todos vós".[10]

Que nos seja possível integrar as equipes d'Ele nas linhas redentoras de socorro à Humanidade sofrida! – esta, sim, deve ser a técnica de entender a missão do homem inteligente na Terra, para que "Deus seja tudo em todas as coisas".[11]

Caírbar Schutel

---

10. Efésios, 4:6.
11. I Coríntios, 15:28 (notas do autor espiritual).

30
Conversação Espírita

Você tem na boca valioso instrumento para transmitir a mensagem do Reino de Deus.

A boca pode ser comparada a uma flauta de prata, através da qual o instrumentista divino sopra, enchendo a vida de melodia e felicidade.

O verbo a fluir por ela pode trazer a força poderosa que edifica cidades ou que destrói comunidades.

Com a palavra o mundo se renova; com a palavra o homem se escraviza.

Clareada a nossa palavra pela expressão espírita, podemos transformar a nossa boca no veículo da verdade para espalhar a mensagem de luz onde quer que nos encontremos.

Conversação espírita é também aula de Espiritismo...

Quando se conversa edificando, consegue-se valioso aprendizado.

A palavra inspirada nas emoções superiores serena as inquietudes, aplaca as paixões, doma os impulsos desequilibrados, aquieta as aflições, arregimenta as ideias, equilibra os desejos, programa os trabalhos e, vitalizando o Espírito, renova-o para a luta em prol da realização nobilitante.

Jesus, junto aos companheiros do *Colégio galileu*, ensinou-nos a conversar de maneira elevada. Uma só vez sequer, não encontramos nas exposições evangélicas um apontamento favorável à censura descabida em relação àqueles que não se submeteram aos impositivos da Boa-nova.

Ante Nicodemos, o doutor da lei acovardado pelas imposições sociais, o Mestre expõe em conversação edificante as bases do Seu Reino, apresentando a reencarnação como chave de solução ao enigma torturante da felicidade, constatando, contristado, a profunda ignorância do intérprete e estudioso da legislação de Israel.

Na casinha de Betânia, enquanto Maria se afadiga pelas questiúnculas domésticas, não ouvimos de Sua boca a palavra que humilha ou fere, antes, esclarece que Maria houvera escolhido a melhor parte.

Não se surpreende o Senhor ao ser notificado de que os discípulos não tiveram a força moral necessária para afastar os Espíritos atormentadores do jovem obsidiado, quando desce ao Tabor. Admoesta-os com angústia na voz, atende ao epilético e logo volta à conversação nobre a respeito das questões do Evangelho.

Nas noites silenciosas, junto aos companheiros deslumbrados, honra os lares que O recebem, ali inaugurando o culto doméstico, enquanto fala das excelências do Céu e das dificuldades da Terra.

Não inquire a perturbada de Magdala sobre os seus antecedentes. Convida-a, generoso, oferecendo-lhe as retificadoras oportunidades nos caminhos do tempo.

Não censura Pilatos, quando este, receoso, lava as mãos sobre o Seu destino. Silencia, porque a conversação naquele momento nada poderia realizar.

Não lamenta o Mestre, do alto da cruz, a injustiça com que o mundo Lhe honra nas últimas horas. Usa, porém, o verbo para o perdão, não esquecendo de entrelaçar na fraternidade legítima os liames do amor, doando Maria a João e este àquela.

Conversemos, edificando. Façamos da palavra uma melodia renovadora.

Com uma palavra, sentenciamos um homem. Com uma palavra, libertamos um coração atormentado.

Procuremos falar, aplicando doçura à voz, à semelhança do artista que modula variados sons na mesma flauta.

Nem drama na voz, nem pieguismo na palavra, mas harmonia que traduza equilíbrio ao falar, sem exigência que deprime nem a falsa humildade que não convence.

Utilizemos a boca qual o fez o nosso Mestre Divino.

Conta-nos o Evangelho que "Ele abrindo a boca, ensinava...".

Ensinemos sempre que possível ou silenciemos quando necessário. Mas façamos da nossa conversação, em qualquer lugar, um alicerce seguro onde seja possível edificar o templo augusto das consolações espirituais ao alcance de todos.

Palavra espírita é medicamento eficiente.

Difundamos em nossas conversações a Codificação kardequiana, recordando Jesus, o Excelso Palestrante, para que, assim fazendo, seja possível espalhar em redor de nós a esperança que nunca morre e o amor que nunca cessa.

José Petitinga

31
COM FESTA NA ALMA

Abra as janelas da alma e espie as belezas da vida, que se desdobram além das suas agonias, tudo colorindo e felicitando.

Quem se dispõe a encontrar a felicidade, longe das moedas aquisitivas, descobre painéis de indescritível estesia em toda parte.

Levante-se num domingo de sol, antes da hora habitual, afaste-se do movimento cansativo da rotina doméstica e busque o campo. Escute no bucolismo da Natureza as vozes das coisas, deixando-se banhar pela clara mensagem de luz da manhã em festa. Apague as impressões do pessimismo e pare ao lado dos pequenos regatos cantando variadas estórias com as águas em desalinho sinuoso e incessante correria. Descobrirá, em cada filete d'água espremido na rocha ou em cada córrego buscando largura no solo para espalhar-se, uma musicalidade especial. Se você tiver ouvidos, identificará que murmuram queixas, competem com o vento, gargalham com a luz, cantam, simplesmente cantam.

Alongue os olhos, andando vagarosamente pelos caminhos; verde avenca segura-se com firmeza ao montículo de terra; torturada trepadeira abre-se em flor no tronco escuro de vetusto arvoredo, cobrindo o ar com perfumada renda que contrasta em sua delicadeza com o tronco imponente; débil colibri, colorido e vivaz, singra os rios do firmamento e, longe, sanhaços verde-azuis em algaravia canora parecem palrar em revoada alegre...

Aspire esse ar puro do dia nascente e debruce-se sobre o peitoril da *janela* do otimismo ante a paisagem ridente, esquecendo por momentos as rotineiras preocupações. Empolgar-se-á com a mensagem do dia, abençoando a vida e compondo sinfonias divinas em toda parte.

Um ramo de quaresmeira aberto em flor, oscilando ao vento, salmodiando cores no veludo do capinzal e multicoloridas coreópsis, farfalhando levemente, falar-lhe-ão sem palavras sobre a felicidade real, ensejando dilatação das suas ambições, além das coisas esmagadoras do currículo normal.

Há poesia no pôr do sol, esperando os seus olhos; cascatas de luz em poeira de ouro fino carregado pelos favônios perfumados compondo espetáculos de cor; melodias espalhadas nos braços da árvore vibrando, vibrando no ar...

Tudo são belezas na Criação. Por que você se engolfa na tristeza injustificável?

Saia do cárcere estreito das sôfregas ambições materiais e embriague sua alma de festa natural no banquete de um dia de sol ou no repouso de uma noite enluarada, cujo manto de princesa salpicado de gemas faiscantes em rendas finas de prata murmurante convida à meditação...E você compreenderá que o seu coração é triste porque se amesquinhou na concha escura de si mesmo, fechando a janela por onde poderia enxergar o mundo de Nosso Pai, onde Jesus cantou o amor na sua mais alta expressão.

Algures, num aclive salpicado de gramínea baixa, compôs Ele as inexcedíveis bem-aventuranças.

Em praias brancas, pontilhadas de seixos e pedregulhos, socorreu órfãos e velhinhos.

Deambulando por caminhos recobertos de largas sombras de velhas figueiras e tamarindeiros, falou a esfaimados da esperança e justiça.

Em claras manhãs de luz pregou e viveu o poema sem palavras da Boa-nova.

E tendo elegido para berço uma manjedoura modesta, recebeu um madeiro de odiosa punição indébita para morrer, numa tarde de calor, sobre um monte sem relva, abraçando, em contato com o poente ensanguentado de sol, ensanguentado também Ele, a Humanidade inteira...

Embora as necessidades para a manutenção do corpo na reencarnação que lhe enseja ressarcimento de dívidas, considere como felicidade esses dons sem preço que vestem a Terra e, renovado, após um giro longe das cogitações materiais imediatas, você retornará ao ninho doméstico de coração cantando festivas melodias de paz sob o aplauso de uma consciência refeita de júbilo, descobrindo porque Jesus, diante de tantas coisas da vida, na Terra, referiu-se ao Reino de Deus como sinfonia sublime emboscado "dentro de nós" e que poderíamos dilatar por toda parte com festa na alma.

Amélia Rodrigues

32
AS TRÊS SOMBRAS

Numa estrada deserta, em noite fria, deslizavam, tristes, três sombras embuçadas, perdidas em si mesmas. De quando em quando, entreolhavam-se inquietas e seguiam a jornada murmurando ininteligíveis expressões.

Numa curva inesperada, num encontro dos caminhos, pararam, perscrutaram e, antes de seguirem diferentes rumos, desvelaram-se.

A primeira, a mais alta e negra, aproximou se das demais e, gargalhando, esclareceu:

– Sou a Ira. Faço-me de caminho mais curto para a morte. Vivem comigo o desespero e a tragédia. Trajo-me de orgulho. Segue-me os passos o ódio, calço-me com as sandálias da revolta e arrimo-me no bastão da inquietude. Acompanho o homem *desde que o mundo é mundo* e pretendo viver com ele eternamente...

E depois de breve pausa:

– Todos me acolhem a qualquer hora, sem indagação nem exigência. A simples apelo sou recebida com prazer em toda parte.

"Sou feliz! Sigo o meu destino, atraindo o mundo a mim."

A segunda sombra, taciturna e trêmula, após ligeira meditação, falou receosa:

— Chamo-me Medo. Sou a porta larga que conduz à loucura. Ando despido. Tenho força.

"A Ira – prosseguiu – é vencida pela meditação arrimada na prece sob o pálio do perdão, e suas companheiras desfalecem e morrem ante a humildade, mas eu sou invencível.

"Oculto-me na luz e nas trevas, entre sábios e ignorantes, grandes e pequenos, ricos e pobres. Moro em todo lugar. Como rei, cerco-me de bajuladores fiéis: a dúvida, o receio, a desconfiança, o pavor...

"Não temo a fé nem a religião. Desdenho-as até. Numa eu mostro a certeza, noutra apresento a suspeita. E sigo o meu caminho.

"Muitos me amam, convocam-me sem cessar..."

No intervalo que se fez, as duas megeras se contemplaram, quase sorriram e, fitando a terceira companhia, indagaram ansiosas:

— Quem és, filha da tristeza?

— Eu? – inquiriu a sombra pesarosa. – Sou vossa irmã.

— Teu nome?

— Quase não o sei. Chamam-me Infortúnio uns, outros, Felicidade e muitos, Desgraça. Sempre vivi errante, perseguida, odiada. Jamais sorri.

"Um dia – e cerrou os olhos como quem recorda inesquecível encontro –, numa estrada como esta, encontrei Alguém que sorriu para mim. Era louro e belo, tinha olhos mansos e meiga voz, embora seu rosto refletisse tristeza imensa. Logo depois, fitou-me comovido, e mudo passou...

"Notei que muitos O seguiam, chamando-Lhe Mestre.

"Posteriormente eu soube mais. Era noite e Ele orava num horto sombrio. Fitei-o. Reconheceu-me. Seu rosto suado aureolou-se de ligeiro sorriso e disse-me: 'Não desfaleças, irmã! Segue tua trilha'. Não O deixei mais. Acompanhei-O atado a cordas, na multidão, em palácio, na solidão, até o fim..."

Calou-se a sombra. E, sob o vento cortante, chorou.

– Que sucedeu? – inquiriram as ouvintes.

– (...) Quando se agitava na Cruz, cercado da multidão encolerizada, fitou-me já arroxeado e murmurou só para mim:

"Avança missionária. Longa, difícil e bela é a tua tarefa. Não mais seguirás a ira e o medo. Terás diferente via. Serás minha mensageira ao mundo desatento. Caminharás só, incompreendida, ensinando em silêncio.

"De quando em quando, duas companheiras passarão por ti: a lágrima arrimada à saudade. Mas em teu curso deixarás esperança e paz. Preciso de ti.

"Vai, em meu nome, Dor irmã, e ergue as minhas ovelhas. Chama-as a mim. Fala-lhes da paciência e da resignação, da coragem e do bom ânimo."

"Seguir-te-ei!"

– Eis quem sou.

Houve silêncio. O vento soprou mais forte e, despedindo-se, as três sombras seguiram os seus caminhos.

Pe. Natividade

33

Lutadores incompreendidos

Ampliando os horizontes da vida, na Terra, muitas vezes tombaram, em plena tarefa, os vanguardeiros do progresso humano.

Inspirados obreiros dos ideais superiores sofreram escárnio e zombaria, caindo, quase sempre, sob o fardo de aflições superlativas.

Nicolau Copérnico, depois de demonstrar o duplo movimento dos planetas sobre si mesmos e à volta do Sol, desencarna, humilhado, após impiedosas acusações.

Lucílio Venini, expendendo nobres e avançados conceitos sobre a vida, deixa-se queimar vivo em Tolosa, condenado por crimes de ateísmo, magia e astrologia...

...E o jesuíta Fabre, Galileu, Dáscoli, Lavoisier, Fulton experimentaram calúnias e perseguições, penetrados pelas farpas da inveja e queimados no *ácido* do despeito dos contemporâneos pela audácia de penetrarem horizontes ainda não vislumbrados.

Artistas e poetas, pensadores e filósofos, cientistas e pesquisadores para atestarem a elevação dos postulados em que criam, renunciaram a todo prazer, ligados ao ideal superior que os sustentavam, sem desânimo nem rancor.

Entre eles, os lutadores incompreendidos, Allan Kardec, o inolvidável codificador da Doutrina Espírita, teve o coração sitiado pela ofensa gratuita, enquanto trabalhava para oferecer à Humanidade a bênção da Revelação dos Espíritos, atestando que a glória da imortalidade se faz precedida de lutas acerbas e sem limites.

Recordando, igualmente, a figura incomparável do Embaixador Celeste que aportou em Nazaré, há dois mil anos, afirmamos que a Doutrina Espírita, que hoje no-lO desvela, é o cisne feito de luz, que veio dos Céus à Terra, cantando a glória da Vida Imperecível para que os homens emerjam da Terra aos Céus, na semeadura do verdadeiro amor.

Espírita! Enquanto ruge a tormenta, exulte!

Aqueles que o apedrejam não o podem atingir.

Os que o perseguem são benfeitores ignorados.

Tenha fé, tenha ânimo, porque as ideias combatidas pela violência se farão triunfadoras pelos seus exemplos e renúncias.

E, firmado no exemplo de Jesus, o Vencedor Invencível, e no estoicismo de Kardec, o codificador inesquecível, leve a bandeira da Doutrina Espírita a todas as gentes, mesmo que, aparentemente, os seus dias se tornem pardacentos e o Sol não mais fulgure, tão turvada esteja a paisagem pelas sombras da maldade. Erga-se e entoe o hino de fé com que o Espiritismo conclama todas as criaturas ultrajadas da Terra, que aguardam dos Céus o Consolador que já está com você, há cem anos, para a arrancada final da grande luta, no campo íntimo de cada alma!

Eurípedes Barsanulfo

34

AO SEMEADOR

Semeie, companheiro, irmanado ao amor.
O verbo a verter pelos seus lábios é mensageiro do ideal que o enobrece.

Pouco lhe importem os caminhos percorridos: é necessário fazer muito mais.

Há muitos corações feridos aguardando por sua palavra, e nas sombras onde se ocultam existem almas esperando pela sua vez.

Não faz mal que estejam em chaga aberta as suas mãos afeiçoadas ao arado. Prossiga semeando mesmo assim. A lâmina que rasga o solo, abrindo-lhe as bordas para a glória do pomar, gasta-se no atrito com o chão.

O regato que avança pela terra, com a missão de umedecê-la, consome-se enquanto ajuda.

A luz, que se derrama da lâmpada, mantém-se acesa com a despesa da energia.

Não há auxílio certo sem sacrifício correto.

Quem ajuda sofrendo, ama sorrindo.

Quem carrega aflição, sopesa melhor a dor alheia.

Quem aprende no testemunho, fixa melhor a lição.

Há trabalho em toda parte, esperando por você. Não se deixe desencorajar.

O caminho do serviço é constituído de asperezas.

Ninguém dispõe de recursos para entender a sua dor. Todavia, você pode compreender a dor dos outros.

Transforme as lágrimas em moedas de luz e asfixie as suas necessidades no *algodão* gentil da prece.

Silencie a voz da inquietude e escute a melodia do silêncio onde as vozes do dever lhe falam.

Esqueça que você vive, que tem desejos, que conserva solicitações e, atado ao ideal de servir, avance resoluto com a alma em brasa e o peito em chaga a sangrar, certo de que, após a travessia das dores, você defrontará o planalto da paz donde descortinará a paisagem iluminada e livre da sua alma feliz.

Onde você esteja, apague o incêndio das paixões. Não pergunte como surgiram e quando a fagulha rebelde ateou fogo aos celeiros da paz alheia. Use o verbo como chuva de bênçãos.

Por onde você passe, atenda a dor. Não indague sobre o tempo da enfermidade, sindicando quanto à procedência da aflição. Apresente o verbo como contribuição para a saúde e erga as mãos em passes como bálsamo sobre a ferida.

Aonde você vá, embeleze a vida com a palavra sonante da esperança.

Não se canse de ensinar.

Nem lhe empalideça o entusiasmo porque você não pode viver o ensinamento.

Nem todos sabem que as almas são todas irmãs nas aflições e que, embora sorrindo, você está igualmente chorando.

Desculpe a censura dos que o espiam. A impiedade deles é produção no seu cofre de luz.

Como seu próprio Espírito, eles terão a vez de despertar para a vida e compreenderão, embora mais tarde...

Faça todo o bem que puder agora.

Pregue e enriqueça as almas com vida, adornando a esperança de luz.

Ensine e alargue os horizontes da crença para que o sol da vida aqueça, sublime.

Semeie o Evangelho e você trará Jesus convertido em Amigo de todos para o abraço dos corações.

Não pare a olhar para trás.

As águas do rio generoso não voltam à nascente na mesma condição...

Não meça as distâncias para a frente.

Aonde não chegue o seu corpo irá a sua voz como hálito encorajador ou como pão nascido no trigo triturado, que após a morte se faz alimento para a vida dos outros.

Escreva, e constatará que a *pena* que consola é irmã do *bisturi* que salva vidas.

Melhor semear, rasgado e sedento do que, adornado de possibilidades, demorar como torre preciosa, inútil e vazia.

Quando, por fim, as suas dores o crucificarem ao dever, recorde o Mestre Divino, que *saiu a semear*, e, mesmo pregado numa cruz, plasmou no mundo inteiro, de todas as épocas e para o futuro, o ideal verdadeiro de que a palavra sem as obras é como a fé sem a ação: uma mensagem morta.

Aura Celeste

35

Esses outros médiuns

Quando você se recolher aos oásis refrescantes da oração, e o lenitivo da paz, como orvalho generoso, oferecer-lhe a tranquilidade almejada, recorde-se desses outros médiuns, cujas experiências malograram nas águas tormentosas da jornada carnal:

– são eles os trânsfugas do dever que faliram na execução dos mandatos a que se ligaram antes do renascimento;

– os que violentaram a própria mente, harmonizados às vibrações deletérias do Mundo espiritual inferior;

– os que sucumbiram, amargurados, entre as sombras geradas pela delinquência, enquanto no casulo carnal;

– os que transformaram a lâmina indócil da língua em arma de esgrimir, ferindo impiedosamente aqueles que lhes cercaram de bondade a existência;

– os que converteram o patrimônio da mediunidade em degrau de triunfo ilusório, enganando-se quanto à legitimidade dos valores;

– os que venderam as preciosas lições da verdade, deixando-se atrair pelas promessas enganosas da mentira;

– os que transformaram o amor em arma criminosa, fruindo prazeres degradantes;

– os que foram invadidos pelas sutis ideias que conduzem à obsessão;

– os que se transviaram, em nome da política, resvalando no abismo das paixões avassaladoras;

– e outros tantos...

Todos eles são dignos da sua comiseração.

Alguns deles continuam na Terra em pranto e aflições de difícil descrição. Outros, porém, já transpuseram a aduana da Verdade e, infelizes, continuam vinculados à insensatez do passado...

Médiuns, todos o somos. Encarnados ou desencarnados, somos sempre veículos das ondas, vibrações e ideias com que sintonizamos.

Recorde-se, pois, desses médiuns que naufragaram, e, quando você se alçar ao planalto da transformação espiritual, onde fala com o Senhor, interceda, doando a partícula da sua piedade em favor deles, envolvendo-os em vibrações afetivas da sua solidariedade.

No dia em que você estava preso às malhas da rede de insucessos, alguém, recebendo a inspiração superior, alongou os braços em seu socorro...

...E Jesus, o Excelso Médium de Deus, compadecido de nós todos, mergulhou na carne, há dois mil anos, para alçar-nos à tranquilidade da consciência reta.

Peça a Ele, por sua vez, para que nos ajude, ajudando especialmente esses médiuns ignorados e vencidos, nossos companheiros de luta evolutiva, que, infelizmente, por enquanto, ainda se demoram na retaguarda, esperando por nós.

João Cléofas

36
Em torno da saúde

Na busca da saúde do corpo, você espera encontrar, na Doutrina Espírita, a fórmula mágica que o liberte do problema orgânico ou da dificuldade emocional, como se os Espíritos desencarnados, empunhando provetas, elaborassem nos laboratórios da Imortalidade, quais velhos alquimistas medievais, o *elixir da longa vida*.

Infelizmente, porém, os Espíritos não são magos nem seres sobrenaturais ou anjos excelsos, e sim almas que viveram na Terra, tendo retornado à Pátria com os valores daí trazidos.

A enfermidade, em qualquer condição, representa justiça, como a dificuldade, sob qualquer aspecto, significa ensinamento.

Mais importante do que as células, é o pensamento que as comanda. O homem não é a multidão celular em agrupamento.

Em razão disso, qualquer serviço de assistência ao corpo tão somente é paliativo e atenuante de pouco valor.

A saúde real não se origina no equilíbrio orgânico, que é, por sua vez, resultado da estabilidade espiritual.

O Espírito é que é o ser. Nele se elaboram os quadros da saúde física e mental, tendo em vista as próprias necessidades evolutivas.

Por isso, hepatite e gastralgia são advertências contra os abusos alimentares e a indiferença da mente, tanto quanto a indigestão representa a reação da máquina física, que o excesso desorganizou. Podem ser assinaladas como advertências-enfermidade.

Infecção e afecção, que se instalam de inopino, constituem motivo de advertência, porque expressam avisos mais sérios. São doenças-apelo.

Toda virulência que se instala no corpo é enfermidade-admoestação, que convoca ao exame de consciência. Sintonizando com os germens do psiquismo em desalinho, a flora e a fauna microbiana naturalmente estabelecem harmonia com as condições psicomorais do ser, desenvolvendo-se violentamente e ameaçando a estabilidade orgânica.

Qualquer desrespeito da mente logo se reflete no corpo, em forma de enfermidade.

Distonia mental, distúrbio neurovegetativo, desequilíbrio da emoção somente se retificam com a reorganização do panorama espiritual.

Com muita sabedoria, a Doutrina Espírita, que pode ser considerada sublime tratado de Medicina preventiva, preconiza como receita segura o Evangelho de Nosso Senhor Jesus Cristo, bálsamo e antitóxico eficaz para qualquer desgaste do corpo e desorganização da alma.

Todavia, é comum você receber a fórmula excelente através da Boa-nova, e abusar, logo depois, do veículo carnal, distante de qualquer respeito à saúde.

Se aumenta a temperatura ambiente, você se excede nos gelados; se diminui o calor, você exagera o agasalho e se atira aos estimulantes, para depois se revoltar com a reação do aparelho respiratório ou a insubmissão da instrumentalidade digestiva.

Gripes e resfriados aproveitarão a insuficiência moral e estabelecer-se-ão, triunfantes, como doenças-alarme.

Para aguçar o paladar, você exagera os condimentos, e, para ser sociável, entrega-se aos aperitivos, sofrendo, como é natural, a revolta das células que não estão preparadas para a excessiva despesa energética. Arrebenta-se a máquina orgânica, perturba-se o filtro respiratório e surgem as doenças-repreensão.

Se examinarmos as calamidades endêmicas e epidêmicas, encontraremos aí as doenças-resgate, através das quais os braços da Justiça Divina atingem os devedores da Terra, para o justo pagamento.

Cegueira, surdez, câncer, mudez, lepra, tuberculose, loucura, pênfigo e todas as doenças da patologia médica de difícil recuperação podem ser consideradas espiritualmente como escoadouros dos múltiplos detritos morais...

Merece ser considerado que, apesar disso, cada enfermidade tem função específica para a alma, em caráter justo e definido.

Além das perturbações do domicílio físico, que dizer dos aguilhões morais no seu desiderato saneador? Como catalogar as frustrações afetivas em missão de caldeamento das expressões sentimentais? Onde situar para atender aos desajustes sociais e aos impositivos das injunções humanas que chicoteiam e maltratam criaturas em paisagens de aflitivas reparações? Quantas dores ocultas existem nos panoramas íntimos, distantes do olhar da multidão, que funcionam como salvo-condutos para a alma? E as marcas hereditárias de todo caráter, assinalando a luta imerecida?!

São aflições que podem ser consideradas como selos de segurança para o Espírito leviano ou rebelde em jornada de recuperação.

Quando a doença não significa a revolta do próprio corpo à exploração que se lhe faz, é mensageira gentil, convidando a considerações e meditações necessárias.

Não se rebele, portanto.

Guarde sempre a paz e a confiança e contribua mental e moralmente para a própria saúde.

E convenha que os instrutores espirituais não podem fazer por você mais do que fez o Mestre Excelente pelos discípulos e comensais do Seu Amor.

Lembre-se de que Ele retirou Lázaro do sepulcro e arrancou a filha da viúva de Naim das sombras da morte, mas não lhes concedeu um corpo físico imortal; libertou os endemoninhados e leprosos, cegos e aflitos dos espinheiros das dores, mas não os impediu de sofrerem, logo mais, as imposições da vida, no planeta-escola de lutas e reparações.

Atenda às necessidades do corpo com equilíbrio e respeito.

Ouça o médico do mundo ou valha-se do irmão desencarnado no abençoado mister de ajudar, mas não espere milagres que esses benfeitores não podem realizar. Somente nosso Pai Celeste pode oferecer-nos, como acréscimo de misericórdia, a paz de que necessitamos quando nos esforçarmos por merecê-la.

Também nós outros já vivemos no mundo, e sabemos que o problema fundamental é a posse da saúde espiritual para a Vida imperecível.

E observe que Jesus, que jamais enfermara, atestando a necessidade de ensinar com o exemplo, recebeu na Cruz, entre dores, o divino legado do amor, partindo da Terra para viver conosco na Eternidade, na condição de Médico Sublime, para Quem devemos dirigir as nossas aflições e necessidades.

Carneiro de Campos

37
A RESPEITO DE SEU FILHO

Seu filho é abençoado aprendiz da vida. Não lhe dificulte a colheita das lições, fazendo-lhes as tarefas.

Seu filho é flor em botão nos verdes ramos da existência. Não lhe precipite o desabrochar, estiolando-lhe a vitalidade espontânea.

Seu filho é discípulo da existência. Não lhe cerceie a produtividade, tomando sobre os seus ombros os misteres que lhe competem.

Seu filho é lâmpada em crescimento de luz. Não lhe coloque o óleo viscoso da bajulação para que não afogue o pavio onde crepita a chama da esperança.

Seu filho é fruto em formação para o futuro. Não procure colher, antes do tempo, o benefício que não lhe pertence.

Lembre-se, mãe devotada que você é, que o seu filho é também filho de Deus.

Você poderá caminhar ao seu lado na estrada apertada, mas ele só terá honra quando conseguir chegar ao objetivo conduzido pelos próprios pés.

Você tem o dever de lhe apontar os abismos à frente, mas a ele compete contornar os obstáculos e descer às baixadas da existência para testar a fortaleza do próprio caráter.

Você deve ministrar-lhe o pábulo do Evangelho; mas a ele compete o murmúrio das orações, na prece continuada das ações nobres.

Seu filho é discípulo amado que Deus pôs ao alcance do seu coração enternecido, no entanto, a sua tarefa não pode ir além daquele amor que o Pai propicia a todos, ensinando a tempo, corrigindo na luta e educando através da disciplina para a felicidade.

Mostre-lhe a vida, mas deixe-o viver.

Fale-lhe das trevas, mas dê-lhe a luz do conhecimento.

Mande-o à escola, mas faça-se mestre dele no lar.

Apresente-lhe o mundo, mas deixe-o construir o próprio mundo.

Tome-lhe as mãos e ponha-as no trabalho, ensinando com o seu exemplo, mas não lhe desenvolva a inutilidade, realizando as tarefas que lhe competem.

Seu filho é vida da sua vida que vai viver na vida da Humanidade inteira.

Cumpra o seu dever amando-o, mas exercite o seu amor ensinando-o a amar e fazendo que, no serviço superior, ele se faça um homem para que o possa bendizer, mais tarde.

Ame, em seu filho, o filho de todas as mães, e ame nos filhos das outras o seu próprio filho, para que ele, honrado pelo amor de outras mães, possa enobrecer o mundo, amando outros filhos.

Seu filho é semente divina; não lhe negue, por falso carinho, a cova escura da fertilidade, pretextando devotamento, porque a semente que não *morrer* jamais será fonte de vida.

Mãe! Seu filho é a esperança do mundo; não o asfixie no egoísmo de seus anelos, esquecendo-o de que você veio à Terra sem ele e retornará igualmente a sós, entregando-o a Deus consoante as Leis Sábias e Justas da Criação.

Amélia Rodrigues

38
Luz inextinguível

Mais poderoso do que os povos e as suas realizações através dos séculos, o livro de cada época é um marco decisivo na história da evolução do pensamento.

Os Vedas, ditados por Brama, aos *richis*, enriqueceram a Índia de espiritualidade durante milênios, e o Vedanta, que tem por objeto a sua explicação mística, até hoje domina a alma filosófica do povo hindu, iluminando-a com luz inextinguível.

A Pérsia milenária deixou-se conduzir pelo Zendavesta, atribuído a Zoroastro, e inundou-se de sabedoria que, há milênios, lhe norteia os caminhos, na busca da Imortalidade.

Israel, entre tormentos e inquietações, tem encontrado na Bíblia, há quase cinco mil anos, o roteiro espiritual da liberdade buscada em todos os séculos.

Toda a Arábia passou a beber nas fontes augustas do Alcorão a Mensagem de Alá, transmitida ao profeta em visões atormentadas, durante as suas crises epileptoides.

Desde então, sejam os pensamentos de Marco Aurélio ou os conceitos de Sócrates, apresentados por Platão, as poesias de Virgílio ou as antigas tragédias de Sófocles, o Novo Testamento, que nos apresenta a nobre vida do Homem que se fez maior do que a Humanidade, ou os *Sermões de Vieira*, o livro é uma luz incomparável, colocando marcos históricos nos fastos da Humanidade.

Seja através da *Divina Comédia*, de Dante Alighieri, ou da obra grandiosa de Cervantes, ou manuseando os conceitos de Castelar, após a Imprensa o homem passou a considerar o livro como um monumento colossal dentro do qual se pode refugiar a civilização, mesmo quando o horror da guerra ameaça a vida de extermínio total...

O século XIX, com as conquistas fulgurantes da Ciência, com as conclusões notáveis da Filosofia e com as pesquisas na Moral e na Religião, recebeu, numa obra, o mais vigoroso trabalho filosófico de que se tem notícia: *O Livro dos Espíritos*, que, embora a singeleza com que foi apresentado, em Paris, se fez o marco básico dos tempos novos, clareando mentes e conduzindo almas ao aprisco da paz, onde é possível uma felicidade imorredoura. Isto porque *O Livro dos Espíritos* difere, na essência, na estrutura e na planificação, de todos os que o precederam como daqueles que lhe vieram depois.

Não é a obra de um homem nem a manifestação revelada de um só Espírito. É, talvez, a maior síntese que a Humanidade já leu em Filosofia espiritualista, porquanto examina as consequências morais, através das civilizações, apresentando os efeitos calamitosos dos desequilíbrios sociais, no homem reencarnado...

Não é um diálogo entre a alma que inquire e a voz que responde, embora o método dialético em que se apresenta. É grandioso, igualmente, pelas conclusões do indagador e, na sua síntese preciosa, vai além dos problemas filosóficos, demorando-se em estudos de ordem metafísica, sociológica... tentando oferecer soluções claras às diversidades étnicas, dentro de princípios essencialmente morais, conduzindo o pensamento em superior roteiro, capaz de libertar o homem das expiações amargas e dolorosas, em que se vem debatendo.

O Livro dos Espíritos é um sol, conduzindo, intrinsecamente, o seu próprio combustível. Guarda, na sua planificação, sabiamente, toda a Doutrina Espírita Codificada. Nele estão em germe os livros que viriam depois, abrindo novos horizontes à Ciência em *O Livro dos Médiuns*, clareando os meandros da Religião em *O Evangelho segundo o Espiritismo*, explicando a essência da vida e sua origem em *A Gênese* e apresentando em *O Céu e o Inferno* consolações e punições necessárias ao progresso do Espírito encarnado ou desencarnado. E mais do que isso, a Introdução e os Prolegômenos deram origem aos opúsculos *Introdução ao Estudo da Doutrina Espírita* e ao *O que é o Espiritismo*.

Monumento mais grandioso do que as tradicionais obras da engenharia que o tempo corrói, *O Livro dos Espíritos* amplia o pensamento filosófico da Humanidade, derramando luz sobre a Razão entorpecida nas limitações do materialismo.

Espíritas! Homenageando a data da publicação *de O Livro dos Espíritos*, banhemo-nos na sua luz, estudando-o carinhosamente.

Nem um olhar precipitado de quem se empolga com a narrativa romanceada, nem a observação impensada de quem procura concluir antes de terminar o conteúdo, mas estudo sério para sorvê-lo lentamente na *taça augusta* da meditação, e exame continuado e intermitente para absorver o pensamento divino que os Espíritos superiores trouxeram ao Espírito de escol do *Prof. Rivail*, o escolhido para projeção da mensagem grandiosa que brilha como farol sublime na Doutrina Espírita.

Divulgá-lo e entendê-lo, senti-lo e apresentá-lo ao mundo é tarefa inadiável que a todos, espíritas e Espíritos, nos impomos como corolário natural das nossas convicções.

E recordando o seu aparecimento em Paris, há 112 anos, penetramo-nos do seu ambiente combustível, tornando-nos interiormente iluminados, para levar essa chama grandiosa às gerações do futuro, como ainda brilha entre nós a palavra de Krishna, Moisés, Jesus e tantos outros Embaixadores do Céu, e que *O Livro dos Espíritos* confirma e aclara.

Vianna de Carvalho

39
Prisões

Comparemos a oração a uma abençoada chave com requisitos de possibilitar a evasão, pela porta da liberdade, às criaturas que se debatem nas celas estreitas de mil presídios especiais.

Presídios, não os conhecemos apenas como masmorras de pedras ou celas gradeadas.

Há clausuras de sombras e antros de escravidão, sem paredes onde muitos sucumbem lentamente, prisioneiros da treva interior.

Prisões da reminiscência amargurada, cárcere do remorso impiedoso, penitenciária de angústia que agrilhoam o Espírito vencido às barras vigorosas de aflições sem-nome.

Também há clausuras abarrotadas de ouro imaginário, onde a alma se detém, patibular, contemplando notas e moedas inexistentes, infelizes e enlouquecidas.

Cadeias feitas de paixões violentas, retendo sentimentos e desejos impossíveis de realizar.

Penedias de solidão ingrata, onde o Espírito sucumbe, derrotado, no cruel degredo que impôs a si mesmo...

Sim! Prisioneiros somos quase todos, ligados às necessidades imediatas que convertemos em elos escravizantes ou em cubículos terríveis que nos aprisionam.

Utilizemos, por isso mesmo, a oração de misericórdia como chave miraculosa para libertar a nossa mente das províncias de sombra, clareando o coração para que ele possa arrebentar as cadeias do desespero.

E, desdobrando o nosso culto oracional, recordemo-nos dos Espíritos desencarnados, aprisionados às lembranças da matéria e aos hábitos carnais em que se comprazem, atirando-se, invigilantes, ao exílio em que se demoram, retidos indefinidamente nas terríveis prisões sem barras de ferro, com a mente perturbada e o coração ultrajado...

José Petitinga

40

Orar sempre e constantemente

Cale a boca das ansiedades, que clama vocês incongruentes, expressando inquietudes íntimas e faça silêncio para orar.

Tome com os lábios do coração o murmúrio da esperança e module a melodia da prece no país da alma, deixando que as brandas consolações que ressumbram dos apelos aos Céus harmonizem as emoções interiores em desalinho.

A oração é couraça de luz que defende por dentro, imunizando por fora.

Veículo dos soluços da Terra, converte-se em luz que jorra de cima como divina resposta em fulgurações inspirativas.

Orvalho refrescante acalma, consola e alimenta.

Em verdade não liberta dos sofrimentos nem afasta das provações...

Sol abençoado dilata a visão, facultando o discernimento e aclarando os limites do entendimento.

Filão de celestes dádivas gera o equilíbrio, conciliando a emoção por situar os filtros psíquicos de registro e captação de energias além das vibrações inferiores, em mais elevado campo de força mantenedora da vida físico-mental.

E como é fonte inexaurível de consolações, vibra em ondas de frequências específicas nos centros do perispírito, atendendo à sintonia nervosa por compensações eletromagnéticas de longo alcance.

A oração é manifesta oportunidade de começar ou refazer, convocando o ser ao exame das questões afligentes com o alimento do tempo e do trabalho renovador para superação de todo obstáculo no caminho de ascensão.

Orar, pois, para pedir, e orar, também, para agradecer.

Pedir, situando o pensamento nas nascentes sublimes da Vida superior, e agradecer, para fixar as harmonias recebidas, experimentando o júbilo de quem, reconhecido e emocionado, captou a divina resposta.

Orar sempre e constantemente para sair da aflição, evitar a tentação, dominar a ira e entender o sofrimento – ignorado mestre – que segue com o Espírito estrada afora sublimando a imortalidade.

Amélia Rodrigues

41
Imprensa espírita

Diante da Imprensa espírita, considere as próprias responsabilidades e deveres.
Arrebentando as amarras do obscurantismo e da noite medieva, a imprensa fez fulgir, em plena treva da ignorância, o farol do esclarecimento, e ainda hoje é baluarte da Verdade e da Vida, embora muitas vezes malsinada pelos campeões da impiedade e do egoísmo.

Remontando aos seus primevos, identificamos copistas e *iluminutistas* morosos, numa equipe pachorrenta, preparando manuscritos somente possíveis de compulsados por nobres e potentados, que os podiam adquirir, mas que, no entanto, pouco interessados pelo conteúdo, os tornavam objetos de adorno com que atendiam à vaidade de protetores das Ciências, das Artes e da Literatura...

Embora tenha surgido por volta de 868 o primeiro livro de autoria de Waln Chieh, só em 1423 apareceu na Europa uma xilogravura com duas linhas *impressas* sob a efígie de São Cristóvão.

Enquanto isso, imperando a barbárie em plena estagnação intelectual, nas ruínas do mosteiro de Santa Arbogasto, em Estrasburgo, lentamente Gutenberg opera a fundição de tipos móveis, caprichosa e insistentemente, imprimindo com eles bíblias e saltérios. Em 1453, empreende a revolucionária impressão da Bíblia de Mainz, com 42 linhas... Foi o início da revolução que abalaria os alicerces da ignorância e do medo. Utilizando-se de uma prensa de rosca, semelhante às de esmagar uvas, prosseguiu Gutenberg, ora sob o amparo financeiro de um, ora de outro para tudo perder quando Fust, seu último sócio e financiador, apropriou-se de máquinas e materiais, com os quais pretendia recuperar os prejuízos do audacioso cometimento. Experimentando a miséria e o abandono, desencarnou o gigante em 1468, apagado e esquecido, albergado pela caridade de devotado monge...

Nasceram da humilde prensa as colossais rotativas e linotipos da atualidade, que fornecem farto material a cada momento, para o espírito humano.

Graças à imprensa, em pequeno espaço do lar, você amontoa tesouros de sabedoria e moedas de luz em forma de livros nobres e libertadores.

Nos seus caracteres desfilam homens e civilizações atualizando os fastos da História, que ficam ao alcance das suas meditações.

Nesse particular, a imprensa espírita, embora entibiada e fraca, lentamente vence os bastiões da ignorância moderna e do preconceito em que o homem se locomove no século da técnica para fazê-lo librar nos altiplanos da vida.

Claudicante e desconsiderada, pode, no entanto, ser comparada a uma estrela fulgurante e solitária em céu macilento, sombrio, apontando com segurança rumos salvadores.

Quando o codificador recebeu a investidura sublime de apresentar a palavra do Espírito de Verdade, valeu-se do livro e, logo depois, da revista, a fim de que veiculassem como licor revigorante as dimensões incomensuráveis da Mensagem Consoladora, traçando rotas definidas no chavascal do pensamento e balsamizando feridas morais purulentas no organismo gasto da sociedade.

Verdadeiros heróis ignorados, os articulistas das primeiras horas do Movimento Espírita ergueram o facho do esclarecimento, divulgando as lições da Nova Filosofia, em órgãos de breve duração e incomparável valor, por estarem fechadas as pesadas portas das organizações divulgadoras, como ainda hoje, subornadas pelos interesses mesquinhos que lutam contra os nobres ideais da Humanidade...

Passaram os pioneiros da Imprensa Espírita deixando rastros fulgurantes que hoje são rota abençoada para outros lidadores incansáveis da divulgação da Verdade.

E aí estão a página espírita, o jornal espírita, a revista espírita e o livro espírita materializando o pensamento dos Espíritos nas mentes e nos sentimentos humanos, apesar das dificuldades assoberbantes, mas não desanimadoras.

Se você encontra na lição espírita que lhe foi apresentada graficamente o conforto e o pão de sustento à hora do desfalecimento, apresse o passo e avance para ajudar esse organismo necessitado de auxílio.

Quando homens e cidades desapareceram, o livro os sobreviveu, falando sobre eles.

Verdugos da inteligência e do saber incineraram por diversas vezes esses monumentos grandiosos, portadores da história dos tempos, mas eles sobreviveram aos sicários.

Ainda hoje a História não perdoou os ignóbeis incineradores da Biblioteca de Alexandria, por três vezes destruída, quando César invadiu a cidade, nas lutas entre cristãos e pagãos, em 390, e, por fim, em 641, por ordem do califa Omar, segundo rezam as tradições.

E mesmo ontem, em reconhecendo o incomparável valor do livro, em Barcelona, nos idos de 1861, queimaram-se em praça pública 300 volumes espíritas, repetindo as façanhas do passado, como a esperar que as cinzas da intolerância pudessem obumbrar as claridades do Céu ali retratadas.

A imprensa espírita, que hoje é antídoto eficaz ao anarquismo e à dissolução dos costumes, que é pábulo nutriente e linfa refrescante, guia seguro para toda hora, não prescinde do espírita que lhe pode oferecer os recursos indispensáveis à subsistência, na coletividade.

A chama para crepitar não dispensa material combustível.

O rio exige leito para espraiar-se.

A semente requer solo adubado para manifestar vida que jaz enclausurada na sua câmara.

O organismo não rejeita o ar balsâmico.

Ninguém vive sem amor.

E a Mensagem que desce do Céu para a Terra, a fim de demorar-se incorruptível e valiosa no seio da Humanidade, requer o veículo que a corporifica, a urna impressora que a preserva, semeando-a através dos tempos, na gleba dos Espíritos encarnados.

Não seja, pois, indiferente ao programa de divulgação doutrinária, inspirado pelos maiores do Mundo espiritual, e mantido com inauditos sacrifícios por alguns poucos seareiros decididos.

Lembre, por fim, que o Espiritismo, que hoje clareia a vida e conduz, continua inconfundível, sem adendos nem intercalamentos perniciosos, consoante o recebeu Allan Kardec das Vozes, graças ao livro e a revista espírita permanecendo inamovível e atual, mesmo depois de um século passado. E como a homenagear a imprensa libertadora e sadia que o Espiritismo representa, o codificador desencarnou após atender a um caixeiro de livraria, que viera buscar exemplares da *Revue*, deixando na Codificação a luminosa flama que ficaria ardendo na pira da esperança como marco da nova família humana.

Lins de Vasconcellos

42

O Espiritismo

Não fosse o Espiritismo, e multidões se demorariam nos corredores da loucura, enjaulados na furna sombria do desespero...

Não fosse o Espiritismo, e centenas de milhares de homens continuariam aflitos e desesperados diante do sepulcro, indagando e perquirindo, como os antepassados de remotas eras...

Não fosse o Espiritismo, e consciências desarvoradas conduziriam almas que se atirariam no fosso ignominioso do suicídio, fugindo às dores, em busca de dores maiores, inomináveis e terríveis...

Não fosse o Espiritismo, e a saudade dos entes que partiram fulminaria nos corações a esperança, solapando a saúde, que seria vencida pela melancolia.

Não fosse o Espiritismo, e os ideais de justiça, paz, amor e verdade teriam fenecido em homens, mulheres e jovens que, através das luzes da reencarnação, encontraram a esperança e a vida, ensejando resolução firme na marcha para a frente...

Não fosse o Espiritismo, e o ódio, a ofensa, o revide e a criminalidade teriam armado inumeráveis mãos, transformando-as em garras de impiedosas batalhas...

Não fosse o Espiritismo, e órfãos, obsidiados, analfabetos, enfermos enxameavam em antros, ainda mais miseráveis, acumpliciados ao desespero e à revolta...

Não fosse o Espiritismo, e a doce promessa de Jesus, sobre o *Consolador*, teria sido engodo, porquanto o Espiritismo, trazendo de novo à Terra a mensagem dos *mortos*, que continuam a viver, consola e esclarece, zela e ilumina, conduz e ajuda, ampara e felicita, afirmando, pela revelação deles mesmos, a vinda do Filho de Deus, Modelo e Guia de todos os Espíritos.

Valorizemos, pois, no Espiritismo a vida, a vida abundante, conduzindo nossas convicções em atos que falem da excelência da fé imortalista capaz de libertar mentes e tranquilizar corações, em definitivo.

Vianna de Carvalho

43

Louvor, rogativa e gratidão

Quando você despertar, cada dia, defrontando a mensagem luminosa do sol fecundo e aspirando o ar puro e balsâmico da generosa Mãe Natureza, escutando a voz do vento no arvoredo feliz e produtivo a misturar-se à sinfonia canora das avezitas e dos animais, ore em louvor ao Pai Celeste, que lhe propicia mais uma oportunidade de luta na grande estrada da existência terrena.

Quando a dor, em forma de agonia e solidão ou vestida de enfermidade e amargura, abraçar-lhe o corpo frágil, atingindo-lhe a alma sedenta de paz, descoroçoando o seu ânimo e escurecendo o céu da sua paisagem íntima, ore, rogando inspiração e socorro para vencer a fragilidade orgânica e superar o testemunho moral, atravessando a ponte da dificuldade.

Quando o desrespeito físico houver sido regularizado e a inquietação se amainar no solo do Espírito, envolvendo-o em doce e plácida serenidade, ore, agradecendo a gentileza divina que o enriqueceu de favores em forma de harmonia e paz.

Louve o Senhor em todos os dias da sua vida, cantando o amor no trabalho venturoso em favor de todas as criaturas.

Rogue-Lhe as fortunas morais da segurança e da fé e os tesouros espirituais da alegria e do trabalho, transformando sua alma em estrela brilhante em noite escura, qual bênção de tênue claridade aos que se afligem no torvelinho tempestuoso das paixões.

Agradeça ao Senhor a oferenda recebida, cada hora, como joia do minuto que lhe enseja resgate e conquista para o Espírito – esse viajor da Eternidade.

Não macule, entretanto, a sua oração com os pedidos mesquinhos que nascem na ambição desvairada e se desenvolvem no desequilíbrio da emoção.

Respeite na oração o anjo do amor, que em nome da criatura busca o Criador, e na inspiração que logo advém descubra a resposta celeste, resultante do carinho de nosso Pai por todos nós.

Ore e trabalhe sempre e sem desfalecimento.

Abra a boca na prece e dilate os sentimentos na comunhão oracional, buscando os celeiros da inefável luz, e a alimentação substanciosa do Amor Divino desdobrará para você a percepção espiritual, inundando-o de vitalidade para a continuação de luta em que você se empenha.

Aura Celeste

44

Em torno d'Ele

Todos esperavam que Ele chegasse adornado de ouro e cercado de vassalos. No entanto, o Seu Reino não era deste mundo.

Desejavam-nO prepotente e orgulhoso. Todavia, confundia-se na multidão para enxugar o pranto dos aflitos.

Aguardavam que Ele viesse num sólio de brilhantes, carregado em triunfo pelas classes privilegiadas de Israel. Entretanto, era entre os miseráveis da orla marinha que espalhava os tesouros do amor.

Gostariam de vê-lO entre os principais de Jerusalém a discutir a exegética da Lei Antiga. Mas Ele preferia ensinar a Verdade entre aqueles que eram considerados como espúrio social. E foi em razão disso que celebrou o Seu ministério nos cenários vivos da Natureza, entre esfaimados e infelizes, ofertando-lhes o pão nutriente do Evangelho da Vida.

Procurado por Nicodemos, que desfrutava posição de relevo na comunidade, falou sobre o renascimento após as cinzas do sepulcro, e avisado da *morte* de Lázaro, retirou-o da tumba onde jazia.

Oferecendo-se a almoçar na casa de Simão, que era considerado rico e poderoso, recebeu a dádiva de pobre mulher pecadora que ungiu Seus pés com bálsamo e perfumes.

Atendendo ao príncipe de Arimateia, que simpatizava com a Sua Doutrina, também recebeu Judas que, no momento oportuno, desertaria do ministério, criando-Lhe embaraços.

Sarando feridas e curando enfermidades, não se furtou Ele à coroa de espinhos e à lança erguida por mãos impiedosas.

Consolando as mulheres que O seguiam na via de dores, confiou a mocidade de João às mãos da Santíssima e se deixou crucificar.

Pregando a Justiça e o direito, não reagiu à prisão indébita nem ao martírio humilhante.

É portador das Verdades Divinas, mas não ofereceu resistência aos ardilosos tecelões da mentira e da injúria.

E, depois de morto, apresentou-se com singeleza aos companheiros amedrontados, atestando a Vida vitoriosa depois da morte.

Caminhou, anônimo, com dois discípulos até Emaús e cientificou-os da Vida extraterrena. E, até hoje, vive nos corações e nas mentes que n'Ele confiam, instalando o Reino de Luz nas trevas por onde segue a ignorância.

Reverenciando a grandeza da vida exemplar de Jesus Cristo, o Celeste Mestre Galileu, a Doutrina Espírita é como bênção divina que desce ao vale da aflição humana para rasgar avenidas de esperança em toda parte.

Não se mancomuna com as arbitrariedades terrenas dos gozadores temporais.

Não se compromete com as injunções dos mandatários passageiros cujo poder morre no túmulo.

Instaura, pelo contrário, uma oficina de amor em cada alma ultrajada pela perseguição dos outros e favorece com a alegria os que não receberam os largos quinhões do poder temporal.

Exaltando a verdade, prescreve o culto ao dever e à caridade, nas suas formas mais singelas, e estabelece que o triunfo começa na renúncia como oportunidade de acesso à glória de servir.

❖

"Eles serão conhecidos por muito se amarem" – disse o Senhor

Revivendo o Mestre Divino, a Doutrina Codificada por Allan Kardec traz de volta o Cristo de Deus como Consolador generoso em torno de Quem todos os homens se abraçam, haurindo forças para a difícil ascensão aos páramos da luz.

Djalma Montenegro de Farias

45

NA LUTA CRISTÃ

Diz o mundo: "Aproveita a mocidade para gozar".
Adverte a fé: "Mais tarde darás conta do uso que deste ao corpo moço".

Convida a Terra: "Avança! Não te detenhas! Aproveite agora!".

Admoesta a Religião: "O amanhã te surpreenderá. Tem cuidado".

Gritam muitos: "Viver é desfrutar a carne. Enquanto há vida, sorri o prazer. A morte é o fim...".

Respondem os imortais: "Viver é realizar-se. Ninguém, nada morre. Tudo evolve."

Apelam os caídos: "Experimenta o calor do gozo, e viverás integralmente".

Afirmam os libertos: "Gozar não é descer à lama do crime e da libertinagem, é plainar nas asas da retidão e da liberdade".

Repete o mundo: "Fé religiosa é para os tíbios e fracassados".

Conclama Jesus Cristo: "Eu venci o mundo".

❖

Enquanto você jornadeia na veste carnal, clamam mil vozes, chamando-o.

Não as escute.

Aquiete os gritos da própria ansiedade e alce-se ao amor para ouvir somente as doces vozes do verdadeiro bem.

Aquinhoado que você foi pela fértil doação da crença realizadora, não se entristeça nem receite em hora alguma.

Muitas vezes, será necessário que o coração se alanceie, para que você possa valorizar devidamente as altas expressões da virtude.

O cristão decidido não para para tomadas de contas com o mal nem com o erro.

Iluminado intimamente, clareia por onde passa, derramando luz na trilha que vence.

"Carta-viva" da Vida maior, anuncia a glória da imortalidade.

Coração livre não carrega elos partidos como lembranças das cadeias de outrora. Conhece, realiza, vive.

Abra, assim, clareiras na sua alma, em processo de renovação, e guarde a certeza de que a luta favorece os que perseveram no bem com as nobres concessões da paz e da felicidade, quando cessam as duras e rudes refregas, na busca da liberdade real.

Pe. Natividade

46
Hino de louvor

Comprometido com o trabalho nobre, no abençoado campo evangélico, não se detenha no cultivo das aflições que despontam ameaçadoras.

Dirija o pensamento para o Senhor e prossiga, mesmo que tenha aos pés feridos e o coração esfacelado.

Animado pelo ideal de renovação interior, lutando contra todas as limitações, não se demore na verificação dos valores das lágrimas, conservando suscetibilidades no sentimento amargurado. Eleve a mente aos Planos superiores e prossiga sem receio.

Quando a injúria brandir armas impiedosas na sua honra, ameaçando a estabilidade do ideal esposado, repita: *Louvado seja Deus!*

Quando a intriga desenvolver habilidosas tricas, enredando-lhe os pés, volte a dizer: *Louvado seja Deus!*

Quando a maldade ameaçar-lhe o equilíbrio espiritual, murmure ainda: *Louvado seja Deus!*

Quando a tentação, desviando-o do dever, movimentar recursos destruidores para a sua serenidade, enuncie novamente: *Louvado seja Deus!*

Quando os mais respeitáveis sentimentos que o animam forem desvirtuados pelos companheiros de trabalho, torne a dizer: *Louvado seja Deus!*

Quando a solidão lhe cercar a alma, envolvendo-o no denso frio do abandono, ore, dizendo: *Louvado seja Deus!*

Alegre-se no testemunho e louve sempre o Celeste Pai que até hoje não encontrou entendimento em todos os corações.

Chegado o momento de testificar os postulados que enobrecem o seu Espírito, louve o Senhor de Misericórdia que lhe concede a bênção da oportunidade para fortalecer os dispositivos íntimos, a fim de prosseguir de fé robusta em busca dos Altos Cimos.

Exercite a humildade e silencie, no *chumaço de algodão* da paciência, a voz de revide quando ofendido, rejubilando-se intimamente com as vitórias sobre a própria impetuosidade.

Recomece o trabalho de aprimoramento espiritual e louve o Senhor, não temendo a luta, recordando que, para o cristão real, a queda representa oportunidade de levantar-se em degrau mais elevado.

Felizes aqueles que hoje recuperam o patrimônio da Vida caminhando, a sós no mundo, entre dificuldades e aflições, erguendo acima de todas as vicissitudes do caminho comum dos homens a fé clara e positiva, e prosseguem irmanados ao serviço santificante agradecendo e louvando sem cessar o nome de Deus.

Scheilla

47
NA BÊNÇÃO DO CORPO

Para quem deseja felicidade, em termos de harmonia interior e saúde espiritual, as horas no vaso carnal são alta concessão do Nosso Pai Amoroso, ensejando-nos libertação legítima com resgate intransferível de faltas inquietantes, a clamarem por nós desde *ontem*...

No entanto, somente alguns poucos Espíritos conseguem realizar o desiderato da reencarnação.

Calcetas inveterados, detemo-nos nos velhos enganos em que nos comprazemos milenarmente, malbaratando tempo e oportunidade, nas mesmas reivindicações de pequenez espiritual em que malogramos não poucas vezes.

Todavia, quanto poderíamos fazer em benefício de nós mesmos, enquanto no abençoado cadinho carnal!...

A vestidura física é semelhante a valiosa escola que nos faculta salutar aprendizagem, cujos resultados só o futuro examinará pelo confronto com a realidade do dia a dia. E quantos não lhe aproveitam as lições em compêndios de experiências sábias, defrontam a ruína que brota do insucesso e da frustração. É nesse momento que a desencarnação, quase sempre, abre de par em par as portas da consciência, e o Espírito defronta o prejuízo expressivo que lhe exige pesado tributo de lágrimas tardias e arrependimento sem significação.

À semelhança de crianças surpreendidas em delitos graves, deixamo-nos dominar por pavor injustificável, derrapando em abismos ainda mais comprometedores...

Alguns, procurando fugir da lucidez punitiva, criam miragens enganosas e demoram-se, Além-túmulo, nos gozos ilusórios da existência malograda, alongando indefinidamente a própria sandice que um dia se desfará ante a realidade inelutável que os aguarda...

Outros se empolgam, desesperados, com a própria aflição e erguem o cadafalso do remorso em que se supliciam, aprofundando as úlceras pútridas nos tecidos frágeis e enfermiços da alma enferma, longe das atitudes psicossanitaristas da renovação e recomeço...

Muitos se atiram sobre as vestes rotas recém-abandonadas, depois da morte, chafurdando em miasmas e lodo, tentando erguer e recompor as formas desmanchadas que o túmulo recolheu no pó, ferindo-se nos aguilhões terríveis da revolta em que se enleiam anos a fio, distantes do equilíbrio e da serenidade que oferecem campo à recomposição interior e à recuperação das horas perdidas...

Ainda outros continuam, após a desencarnação, no engano em que se atiraram, desarvorados, ligando-se a bandos e magotes de vagabundos da Erraticidade, zurzindo e perseguindo outros semelhantes enganados, para despertarem pela compulsória do tempo, mais além, mais infelizes, mais vencidos em si mesmos...

Muitos crentes, acostumados ao ludíbrio e à dubiedade, pretendem transferir para o Além as tarefas de edificação e paz, como se o dia de amanhã não fosse o termo do dia de hoje e como se o além não começasse hoje, aqui e agora. Insistem em desconsiderar "oportunidade" e "ocasião", complicando o porvir com pesados tributos de leviandade.

Despertamos Além da morte com o patrimônio acumulado aquém, na carne. E como a morte não é cirurgia de consciência, realizando plástica perispiritual, viveremos como temos vivido, peregrinando nas mesmas vias mentais onde fixamos os panoramas que foram vitalizados durante a viagem na carne.

Consideremos, então, a significação da oportunidade carnal.

Renovam-se as células no laboratório fisiológico, construindo novas engrenagens para a máquina física sob rigorosa imposição vital.

Estruturam-se defesas poderosas no labirinto orgânico, consolidando o vestuário construído pela Excelsa Misericórdia, em milênios de experiências continuadas, para que o Espírito se liberte...

Ácidos e álcalis, enzimas e açúcares, fosfatos e cálcios, albuminoides e gordura, iodo e ferro, valiosos compostos bioquímicos se harmonizam na edificação do patrimônio celular, fabricando centros de atividade termoelétrica, dinâmica, óptica, sonora, áudio-gustativo-olfativa, pequenas estações de registros sensíveis e postos de reprodução genésica, de eliminação e fixação, convertendo em aparelhos de complexa tecelagem, o oxigênio em fator alimentício e expulsando gás carbônico, através de mecanismos automáticos, sem considerarmos os núcleos da mente e da digestão, em redutos motores e intermediários, os indispensáveis controles nervosos e os tubos condutores dos corpúsculos sanguíneos encarregados da manutenção da vida, a fim de que o homem possa atingir as culminâncias da Imortalidade libertadora...

...E, no entanto, a mente em desorganização, através dos tempos, converteu o corpo em câmera escura do prazer, pervertendo as funções e confundindo as necessidades com viciação para sucumbir ao impacto do desgaste em dolorosas e aflitivas conjunturas.

Se você ouviu e entendeu as Vozes que clamam do Além, chamando-o para o despertamento, aproveite as breves horas na carne e avance na direção da Vida.

Não se detenha, como fez no pretérito, na contemplação dos sonhos da mentira e da ilusão. Vá além das ambições que o tempo consome, e consuma o seu tempo na conjugação do realizar.

Não malbarate os recursos da inteligência que lhe exorna a roupagem física com a insensatez. Estude e esclareça, ajude e socorra.

Medite, agora: *"Se a morte me chegasse neste momento, que levaria, eu, comigo?"* e aja de modo que possa conduzir consigo mesmo recursos melhores.

O minuto que passa não retorna – aproveite cada momento.

Se não é justo deter-se para lamentar o erro, também não é justo errar com naturalidade e seguir como se não houvesse cometido o erro.

A melhor maneira de evitar o mal é não se acumpliciar com ele. Conduta reta em atitude correta – eis o melhor auxiliar para uma vida certa.

E, enquanto soa a melodia da oportunidade, trabalhe, agora, recordando o ensino do Mestre, sempre atual: "Buscai primeiro o Reino de Deus...", que está dentro de nós, aguardando ser descoberto e habitado, onde defrontaremos a paz incessante e o amor sem termo.

Carneiro de Campos

48

Mediunismo e sofrimento

Consideremos o campo mental atormentado por problemas mediúnicos, abençoada cruz que devemos conduzir aos cimos da libertação, por ele resgatando velhos tributos negativos que conduzimos do pretérito.

Todos quantos mergulham na carne trazem, de épocas recuadas, pesados débitos que se manifestam como malogro, carreando para a intimidade da vida limitações e angústias, caracterizando-se por desequilíbrios da emoção.

Em razão disso, renascemos todos, os devedores, jugulados a dores regulamentadoras e aflições disciplinantes para que, através do exercício mediúnico, que nos faculta reencontros espirituais com os que continuam na Erraticidade, nos candidatemos em definitivo à sublimação a que nos destinamos.

Nesse contato com os Espíritos sofredores desencarnados – Espíritos sofredores em libertação que somos todos nós –, a filtragem mediúnica está na razão direta das chagas que o médium conduz consigo das experiências pregressas...

E são por elas que o médium se levanta para a renovação, sofrendo e amando, em constante exercício do bem operante.

No entanto, diante do fenômeno incipiente e ainda transitório, muitas vozes se levantam para verberar contra o animismo, com uma idiossincrasia vigorosa, como se o animista fosse o responsável consciente pela deficiência de filtragem psíquica de que se faz intermediário. Todavia, na manifestação anímica mesma encontramos excelentes ensejos para auxiliar o médium que sofre, esclarecendo-o e iluminando-o com a palavra evangelizante e doutrinária de que tem necessidade.

Sendo, pois, o médium um Espírito em tormento, é natural que se lhe permitam equívocos e enganos, aflições e fraquezas que a ele mesmo compete corrigir, manipulado como se encontra por forças indômitas do passado, que nele estrugem em incessante clima de luta libertadora.

Por isso, se tomba, compadeçamo-nos dele, se vence, rejubilemo-nos com ele.

Mediunidade é caminho de serviço evolutivo por onde seguem, carregando a cruz, os Espíritos em prova.

Se não nos cabe confundir fenômeno anímico de procedência íntima do médium mesmo com fenômeno mediúnico de origem espiritual daqueles que transpuserem a porta do túmulo, não devemos, também, perseguir o *animismo* afligindo o *animista*, como se o doente e não a doença merecesse nosso combate acirrado...

Amparemos, desse modo, nossos companheiros de sacerdócio mediúnico, sem lhes exigir além das próprias possibilidades, compreendendo que a caridade começa, inicialmente, entre aqueles que a exercitam em relação aos outros. E a caridade primeira entre os que trabalham na experiência medianímica deve ser para com o instrumento que, em se doando, necessita do auxílio alheio no esforço da própria regeneração.

E lembrando Jesus Cristo que, no auge do testemunho, invocou o socorro sublime e paternal do Céu, ajudemo-nos reciprocamente na mediunidade, conduzindo o fardo dos sofrimentos com resignação e coragem até o momento em que soe o aviso da nossa libertação gloriosa.

João Cléofas

49
Pedacinho de gente

Colore o rosto com a luz do júbilo e fita desassombrado a criança que busca agasalho nos braços do seu coração. Ela necessita de você.

Não se esquive acarinhá-la, apresentando como justificativa os problemas que se complicam no seu mundo íntimo.

Esse bloco de argila frágil, onde se guarda uma fagulha eterna, confia nos recursos da sua eficiência de oleiro experiente.

Não lhe atire pedrouços nem lhe arremesse dardos pontiagudos que lhe enfraqueçam a resistência.

Você embelezará a própria alma, buscando a alma dos pequeninos do seu caminho.

Antes, dizia-se que a criança era "um homem em miniatura" e crivavam-na com os espinhos da indiferença, perseguindo-a com o sarcasmo. Ainda hoje não faltam aqueles que a hostilizam, exigindo entendimento sem desejarem entender...

E nessa luta da brutalidade contra a fraqueza desses *pedacinhos de gente* sucumbe o amanhã, porque as aflições e os receios que agora lhes povoam as mentes se transformarão em fantasmas vitoriosos mais tarde.

No seu calendário, a civilização oferece uma *semana da criança*, com hinos de alegria e músicas festivas...

Dê, porém, todo dia, o melhor do seu melhor sentimento a esse pequenino rei.

Ajude-o com bondade, mas ofereça-lhe exemplos de dignificação humana.

Muitos pais desatentos, por excessivo carinho, têm convertido esses reizinhos do amor em títeres da paz.

Faça diferente deles.

Descerre-lhes os olhos ao discernimento para o culto do dever e ensine-os a colher as flores passageiras da infância, com aproveitamento para o futuro.

Uma infância malsinada significa uma existência perdida.

Abra os braços e receba, também, as crianças da rua, maltrapilhas e sofredoras, que alguns precipitados chamam *filhos de ninguém*, e ensine-as a orar, se outra coisa você não puder ou não quiser fazer.

Não se situe, porém, longe deles.

A criança espera por você.

Avance na sua direção e ame-a.

Enquanto na manjedoura, Jesus era uma criança indefesa a sorrir. Todavia, ali estava na furna humílima o futuro Herói da Cruz e Sublime Embaixador do Céu, convertido momentaneamente em um *pedacinho de gente* guardando a estrela fulgurante do Reino Celestial.

Amélia Rodrigues

50

UNIFICAÇÃO

"Um dos maiores obstáculos capazes de retardar a propagação da Doutrina seria a falta de unidade".
Allan Kardec – *Obras Póstumas*

Decorridos apenas dez anos,[12] após as *démarches* que culminaram no magno entendimento muito justamente denominado "PACTO ÁUREO", materializou-se, na abençoada Federação Espírita Brasileira, com toda justiça a Casa Mãe do Espiritismo no Brasil, o grande Ideal de Unificação entre os homens e entidades espiritistas brasileiros.

O trabalho que culminou a 5 de outubro de 1949 vinha sendo concertado desde há algum tempo, constituindo-se objetivo de fé robusta para, através da perseverança nos princípios básicos da Doutrina, arregimentar-se e, vencendo todas as dificuldades, lutar pela concretização de tão importante serviço.

Entretanto, o labor que Ismael realizava junto aos pupilos do orbe não poderia ficar isento da aberração do mal. Não faltaram como não faltam aguerridos detratores, con-

---
12. Psicografada em 15/02/1960.

tumazes e intolerantes defensores de "pontos de vista", acérrimos lutadores enclausurados nos velhos bastiões do Eu enfermiço, para apontarem suas armas contra a força idealística de corações devotados ao bem que envidavam todos os esforços no sentido de manter a unidade doutrinária no abençoado organismo espiritista.

Todos os cuidados foram tomados à época da arregimentação das diretrizes essenciais para a materialização do movimento. Procurou-se ouvir a opinião dos servidores que portavam belas folhas de serviço à causa; cuidou-se de atender às solicitações, sem, no entanto, tergiversar na linha básica do dever que não se pode acomodar às exigências de pessoas ou grupos; buscou-se solucionar problemas utilizando-se da recomendação evangélica da TOLERÂNCIA preconizada por Jesus e Kardec. Mas, assim mesmo, as dificuldades cresceram como para testar a têmpera em que foi forjado o trabalho de Unificação, e a verdade é que nestes dez anos a árvore, tíbia a princípio, robusteceu-se vigorosa e vem atingindo êxito inesperado nos seus objetivos.

É verdade que o Espiritismo não tem chefe, mas possuindo um corpo de Doutrina, que necessita ser zelado, tem necessidade de uma Entidade Federativa de âmbito nacional para colocá-la a salvo das investidas da futilidade, da imprevidência e dos abusos de toda ordem. Para esse fim, criaram-se as uniões sociais, comissões estaduais e ampliaram-se os programas das federações sob a assistência do Conselho Federativo, constituído por homens escolhidos pelas entidades estaduais, que se congregam mensalmente na Casa de Ismael, para dirimir dificuldades, corrigir equívocos, nortear serviços, sem fugir à veneranda Codificação Kardequiana.

A Unificação é trabalho de entendimento que ninguém pode desdenhar na seara espírita.

A Unificação é fruto da agregação de forças dispersadas pelo personalismo e pelo egoísmo, milenares adversários do homem, objetivando a causa comum a todos, que é o triunfo do Espiritismo evangélico, racional e libertador nos corações humanos. Na época das instituições sociais de previdência, das caixas de socorro, do cooperativismo que nas sociedades materialistas atestam o altruísmo do homem civilizado, fazia-se inadiável, na comunidade cristã do Espiritismo, a unificação das entidades espíritas para a corporificação entre os homens do postulado do *trabalho*, da *solidariedade* e da *tolerância*.

Unificar significa reunir num só todo, fazendo convergir para um só fim.

Unificação espírita é a reunião de valores para a melhor difusão e propagação do pensamento dos Espíritos, pensamentos coletados e comentados pelo insuperável professor de Lyon, definindo os rumos seguros e elevados de cada um, no campo de serviço onde foi situado.

Nem discussão infrutífera...

Nem arrazoados novos...

Nem epístolas de exaltação...

Nem semeaduras apressadas...

Unificação é trabalho ordeiro, filho da ação de todos na preservação do Cristianismo Redivivo.

Unificação espírita é a concretização do enunciado de Jesus quando afirma que seremos um só rebanho sob o cajado de um só Pastor. O Espiritismo nos une em torno do Senhor, que, por sua vez, nos dirige os passos para os Altos Rumos.

    Entender-nos sem cansaço; ajudar-nos sem exigências nem ambições; proteger-nos sem reclamações; servir a todos, homens e entidades, é o programa traçado por Jesus, continuado pelo Espiritismo, e que, culminando no "PACTO ÁUREO", deu nascimento à obra já vitoriosa da unificação espiritista no solo do Brasil.

Francisco Spinelli

51
Jornalismo e Espiritismo

Os séculos que varreram impérios e cidades da face da Terra, os caudais de areia que cobriram civilizações e os oceanos que guardam em seu bojo centros tumultuários do passado, sentiram em todas as suas manifestações a força poderosa do pensamento na construção dos povos ou na dizimação das sociedades. Dessas grandes civilizações, hoje fanadas, somente restam, das suas poesias épicas – tradutoras das glórias mentais – e das tragédias, evocação das suas baixadas espirituais, tradições orais que a História pesquisa para a construção documentária das suas páginas.

Desde a tradição oral às primeiras manifestações gráficas, ou seja, da palavra articulada aos caracteres impressos em tijolos, ou do papiro ao pergaminho e deste à imprensa, o homem tem podido manifestar-se ao homem com a força leonina da exteriorização pensante.

Mais poderoso do que todas as conquistas bélicas é o poder da pena construtora de impérios e demolidora de cidades que tem sido em todos os tempos o veículo do intercâmbio dos homens em suas realizações.

Licurgo, ao distender a hegemonia política da sua dominação em Esparta, alastrando-a por toda a Grécia, dominou Atenas. A força bruta escravizou o direito e, quando as venerandas cabeças pensantes marchavam humilhadas sob o látego da dominação, os espartanos acreditaram por momentos na grandeza da sua raça, para despertarem logo depois sob receios e inquietudes, vendo a justiça de Atenas triunfar da tortura tiranizante da brutalidade odienta.

Esparta passou...seu solo hoje se cobre com as cinzas das evocações, e as colunas arrebentadas em cujos montes as aves de rapina e as serpes se agasalham atestam sua morte. Atenas imortalizou-se, continuando o afã de manter aceso na História o facho do ideal ardente expresso na sabedoria dos seus conceitos.

Atenas é o marco inicial da liberdade e a resultante da força hercúlea do pensamento racional, enquanto Esparta constitui até agora o símbolo odiado da violência com todas as misérias que a seguem em séquito dantesco.

Jazia a Europa escravizada pela dominação político-religiosa quando Gutenberg construiu a imprensa, inaugurando uma nova era para a Humanidade. A intolerância e a prepotência ensaiaram movimentos e arrebentaram a máquina, em tudo "filha de Satanás". Todavia, sobre os pedaços de ferro retorcido e os fragmentos de madeira queimada, a chama da ideia, inextinguível, permaneceu luzindo. E a hediondez dominadora da Religião, que resistira com férrea mão a todos os ensaios libertadores através dos séculos, tombou logo mais, na voragem gloriosa do período iniciado com a letra de forma.

No século passado, enquanto se digladiam as correntes religiosas, que tentam sobreviver, com o materialismo nascente, que dita novas diretrizes, Allan Kardec – o insigne postulante da Nova Era – através da pena, em singela página da "Revista Espírita", põe por terra os caducos argumentos da fé tradicional, gerada e mantida pela ignorância em séculos sucessivos e ilumina, espiritualizando a ciência ateia, ao proclamar a imortalidade da alma, encontrada nos experimentos resultantes da indagação e do exame. "Fé legítima, somente é aquela que pode enfrentar a razão face a face" – escrevia o iluminado em ardentes construções literárias.

Já, há um século anteriormente, a imprensa, pelos enciclopedistas e pensadores, derrubara a Casa dos Bourbons, ateando fogo na França e em toda a Europa, para que a Justiça serena e forte pudesse inscrever seu nome nas glórias da Liberdade.

Agora, a liberdade, através do jornalismo, pela férrea lógica do Espiritismo, inscrevia os deveres do homem no quadro dos direitos sob os acenos honrosos do "Trabalho, Solidariedade e Tolerância".

Era o triunfar da inteligência sobre a brutalidade, da ideia sobre a força. O direito triunfava da escravidão.

"Imprensa e liberdade são termos de uma mesma equação" – escrevera Ruy Barbosa. Espiritismo, liberdade e jornalismo são partes do mesmo todo na dualidade do "amai-vos" e "instrui-vos", para a felicidade do homem.

A imprensa tem sido o maior veículo de manifestação pensante e o jornalismo é o mensageiro dessa manifestação entre os povos livres.

Com a Nova Era que o Espiritismo inaugurou para a Humanidade, o jornalismo, nos seus aspectos mais diversos, representa o grande veículo para as ideias que transformam cada lar num santuário e cada templo numa escola, sob a égide de Jesus, o Arquiteto sublime das nossas vidas.

No Brasil, a imprensa espiritista tem feito época desde as horas dos articulistas do "Eco do Além-Túmulo", na Bahia, de Max, no Rio de Janeiro, até a atualidade pelas tiragens luminosas de "Reformador", "Mundo Espírita", e outros tantos periódicos que, em luta, tem mantido acesa a labareda posta no velador pelo vexilário lionês, assegurando, assim, o direito de defesa dos ideais expostos pelo Espiritismo, que o passar de um século não pôde modificar ou substituir.

Certamente muito veneno há sido veiculado pela imprensa, traduzindo a sórdida condição de almas enfermiças e desequilibradas, muitas vezes em nome de ideias respeitáveis. São a resultante do aprimoramento do homem, ainda portador de excrescências, na sua ânsia de crescer e evoluir.

Quando nos referimos à imprensa espírita, não aludimos ao jornalismo religioso, entibiado pela intolerância vulgar, mas à ideia ampla, portadora da liberdade filosófica, de conceituação científica e das consequências morais, com todo seu sentido cristão.

É mister que se recordem os lidadores da "Boa Causa", que as ideias expressas verbalmente passam como os ventos e que só os pensamentos grafados permanecem como monumentos.

Não acreditemos que o pioneirismo passou. As horas de Elias da Silva, Ewerton Quadros, Bezerra de Menezes, Sayão e toda a equipe de lutadores inflamados se dilatam, sejam na praça pública ou nas colunas do jornal, na rua ou no santuário mediúnico do intercâmbio, preparando os alicerces do porvir. Há muito ainda a fazer: vales cheios de lágrimas, corações despedaçados, ignorância pontificando em muito lugar, desespero e angústia povoando a Terra, à nossa espera. De todo lado, a perversão dos costumes, a astúcia e o crime ceifam inteligências, torturam corações e aniquilam esperanças. Calar, nem sempre traduz evolução evangélica e silenciar ante a injustiça e o crime só raramente significa humildade e submissão... Em muitas ocasiões, o brado da legalidade e do bem deve fazer-se ouvido para interceptar a marcha da estupidez no soberano reinado do mal.

É pela coluna do jornal e da revista, pelo livro, por todos os meios ao alcance, que o cristão se deve manifestar, erguendo a arma poderosa de pena sadia que sempre venceu a espada hedionda e selvagem. E se é verdade, como muitos creem, que o glorioso pioneirismo passou com os idos de ontem, não olvidemos que aí está muita terra virgem a desbravar, muito sertão a conquistar e muita mata escura a vencer.

Não acreditemos que o rádio e a televisão já tenham dito tudo e que todos saibam de tudo. Pelo contrário. Ainda estão perdidas muitas almas, aguardando roteiro e iluminação, bem como aventureiros cansados de mentir e enganar, esperando socorro e compaixão, em todo lugar.

Precisamos crescer em pensamento, construindo a realidade da ação. E o jornal espírita-cristão dos tempos modernos ainda é uma lâmpada poderosa, levando na vanguarda dos seus esclarecimentos o baluarte glorioso do Espiritismo, para consolar corações e conduzir almas ao porto seguro da Verdade.

Escrevamos, portanto, cartas, narremos mensagens, componhamos crônicas, transformemos em reportagens vivas os fatos da vida e apresentemo-los, à luz meridiana da Terceira Revelação, ao homem e estaremos prestando inestimável serviço à obra renovadora da Humanidade, através do jornalismo, porque Espiritismo e jornalismo são ainda alicerces poderosos do grandioso templo da fraternidade nos dias do futuro.

Lins de Vasconcellos.

52

APELO DE AFLITO

...E eu que dizia amar!

Não me encontrava em equilíbrio quando derramei o *ácido* da calúnia sobre o seu nome.

Eu tinha as mãos trêmulas sob o império da ira que me tomou de assalto. Antes que a detivesse, fui destroçado pelo seu galopar infrene, despedaçando as suas esperanças.

Ignorava que fossem tão fracas as minhas forças!

Tisnado pelo sofrimento que me sitiava atrozmente, fiz-me mensageiro da desordem e, encontrando-o no caminho, enlouquecido como me encontrava, não trepidei magoá-lo.

Sei que você sofreu dores sem conto, pois também conheço por experiência pessoal o significado das palavras "humilhação", "abandono" e "desespero".

Logo depois, passadas as primeiras horas da fúria e do consequente torpor, desejei retornar aos braços da sua afeição, rogar-lhe perdão. Você estava tão *vencido*, enquanto ascendia que, agora, quando o vejo vitorioso, receio buscá-lo.

As dores que você sofria eram tantas!

As lágrimas, bem sei, secaram nos seus olhos, devoradas pelo incêndio íntimo do sofrimento. Quando você passou curvado, eu tive a impressão de que você carregava chumbo derretido no reduto do coração.

E tudo foi só um instante de loucura!...

Hoje não lhe rogo perdão, que reconheço não o merecer.

Venho suplicar-lhe misericórdia, pedindo-lhe que estenda a mão compassiva na minha direção e me alce com você aos cimos, em nome da piedade cristã que você deseja viver.

Também eu tenho encontrado mil dores pela senda, transformada que está em braseiro vivo. O Sol causticante que me ilumina flecha-me com dardos que me queimam, e a chuva que poderia refrescar-me é feita de fel, quando não derrama ácido destruidor...

Tudo isso porque tenho a consciência dorida.

Enseje-me com a sua compaixão poder dizer, outra vez: *"Pai-nosso...perdoa as nossas dívidas, assim..."*

Necessito de paz para crer novamente e, desse modo, poder acalentar a esperança no imo. Não me negue esta bênção que é oportunidade de me levantar.

Se foram duras as suas aflições na condição de vítima, considere as minhas...

Ralado de angústia aqui estou, esperando por você!

Espírita, meu irmão, se você carrega o coração opresso, sob o fardo de impiedosas acusações, esqueça a ofensa, perdoe aquele que se fez seu verdugo. Você ignora o que ele, arrependido e sem ânimo de buscá-lo, sofre em silêncio, observando o seu sofrimento.

Se você acusou, governado pelo desequilíbrio, conduzindo alguém ao potro da humilhação, apresse-se e peça perdão.

Não se atenha às falsas convenções sobre "honra" e "personalidade".

Reabilite-se enquanto é *hoje*.

O Mestre crucificado não é um símbolo: é uma lição inesquecível. E os mártires que têm edificado os ideais de felicidade para os homens de todos os tempos são convites iniludíveis ao seu Espírito, para que, à semelhança deles, você possa crescer em amor.

Amélia Rodrigues

53

VENCEDORES VENCIDOS

Você defrontará no caminho as almas que fracassaram nos altos objetivos da vida.

Encontram-se no ápice das carreiras escolhidas e nas bases dos desenganos.

Demoram-se triunfadores entre aplausos e desiludidos entre lágrimas.

Acreditam-se valiosos demais para o bem comum e sem valor algum para o próprio bem.

Representam disponibilidades fiduciárias e insucessos morais.

Falam alegres, enunciando conceitos vibrantes e silenciam para escutar a grande quietação em que se demoram na inutilidade.

Exigem sempre.

Impõem com arrogância.

Sabem sorrir, disfarçando com a máscara da face os conflitos do coração.

Olham de cima, desdenhando aqueles de almas simples, mas sabem-se inferiores, sem ânimo de enfrentarem o lúcido olhar de um homem honrado ou a palavra tranquila de um caráter reto.

Valorizam-se porque duvidam do próprio valor.

Sobrestimam-se porque se reconhecem desvaliosos.

São os mais infelizes.

Deixaram-se arrastar pelas hábeis vozes da hipnose obsessiva do Mundo espiritual. Fascinaram-se com os ouropéis que se desfazem em cinza e amargura.

Não dispõem de lucidez para identificar o abismo de loucura em que se precipitaram.

Brilham e passam.

Todos os veem aparentemente felizes, mas ninguém sabe.

Alguns dos amigos que têm os invejam.

Outros os detestam.

Quanto lhe seja possível nas suas orações, lembre-se deles. Dilate o pensamento até a horrível solidão em que vivem, cercados de ignorância e bajulação.

Quando surgir ocasião, apresente-lhes o roteiro evangélico, e se o orgulho agressivo deles o hebetar, aquiete-se na distância e desculpe-os, inscrevendo-os entre os mais necessitados e continue orando por eles.

Diante deles, examine as possibilidades de queda que seguem ao seu lado e desdobre a vigilância.

O que você censura neles, vença em si mesmo.

Quanto os escravizam, liberte em seu Espírito.

Ligado ao espírito do Cristianismo revivido no Espiritismo, estude e aprenda, trabalhe e sirva e, apagando-se, procure seguir o Rei esquecido que elegeu uma manjedoura para berço e uma cruz para câmara mortuária, oferecendo-lhe o coração e a vida até os seus últimos dias.

Carneiro de Campos

54

A Era Nova

No limiar da Nova Era em que o homem se aventura nas viagens interplanetárias, decifrando os enigmas do cosmo, muitas inquirições do domicílio celular se demoram sem solução... São as inquietações da mente, os desassossegos do sentimento em aflições dolorosas, criando males e perturbando a ordem.

Fascinado pelas proezas da Ciência, inquire ao conhecimento: todavia este não lhe pode responder, pela impossibilidade de tudo transformar em peças de medidas exatas.

Se indaga ao amor, ele não pode, por enquanto, equacionar todos os problemas por se deter em círculos fechados de emoções breves.

E embora as nobres conquistas do século, o homem, em si mesmo, ainda é o grande coração-enigma, que desafia as mentes interessadas na interpretação dos destinos e na solução das dificuldades do ser.

Nesta hora em que novos problemas surgem, o Espiritismo, interpretando as ânsias do ser humano, oferece à Ciência soluções novas para os velhos conflitos da psique, apresentando avenidas de luz para a jornada do Espírito imortal.

Uma fé racional, estruturada em fatos cientificamente comprovados, propicia ensinos claros e vigorosos que favorecem com dados valiosos as pesquisas intelectuais em torno da personalidade.

Reduzindo o corpo a complexos eletrônicos dirigidos pela consciência, a matéria constitutiva dos quadros físicos cede lugar à energia que, no domicílio a que se acolhe, é subalterna do Espírito que a comanda.

O Espírito é, para o ser, a célula básica da romagem carnal. Nele se enfeixam todas as emoções a se refletirem na mente, em forma de ansiedades e frustrações, primitivismo e civilidade, que lhe constituem o patrimônio inalienável da existência multifária.

A morte não é o reduto final da vida nem a porta de começo da existência.

O homem vive antes do berço e depois do túmulo, adquirindo e acumulando experiências que se refletem nas reencarnações sucessivas através das quais evoluciona.

O objetivo essencial da inteligência não é o de interpretar as incógnitas de fora, mas solver as dificuldades íntimas.

O homem conquista o átomo, mas, se não sublima os sentimentos, estes convertem o veículo do poder em máquina infernal de destruição impiedosa.

Decifra o mistério galático nas imensas nebulosas, todavia, se não santifica as aspirações, transforma-se em déspota, estimulando o desrespeito e a anarquia em nome das Divinas Leis junto à miséria dos infelizes.

Equaciona o complexo orgânico e atende às funções biológicas com admiráveis recursos técnicos em laboratório e no campo cirúrgico, no entanto, se não reforma as concepções íntimas em face de Deus e da moral, transmuda-se em carniceiro, fomentando o infanticídio e desdobrando a eutanásia sob as compensações onzenárias que o consomem.

Compreende a maravilha da Química inorgânica do subsolo e refloresta a face da Terra, mas se não limita as ambições de posse, faz-se tirano, sacrificando vítimas humanas em guerrilhas sanguinolentas, em que se extinguem os vestígios da cultura milenária e do respeito aos direitos alheios.

Submete a eletricidade ao conforto pessoal, escraviza a força hidráulica, canaliza rios e irriga desertos, renova pântanos e vence montanhas, desce aos abismos do mar e ultrapassa as camadas atmosféricas, todavia, se não dirige os próprios impulsos, destrói-se ao impacto da animosidade violenta, tudo reduzindo à ruína.

É que a inteligência sem o amor nada ou quase nada significa.

É verdade que a sabedoria promana de Deus, mas o amor é o próprio *hálito divino,* que vitaliza o Universo.

Em razão disso é que a Doutrina Espírita, concitando o homem aos grandes descobrimentos e ajudando-o nas grandes aventuras, conclama o pensamento para as grandes responsabilidades morais da vida, em relação ao próximo, consoante os ensinos de Nosso Senhor Jesus Cristo.

Iluminando as mentes e avançando com a Ciência, o Espiritismo dinamiza as fontes do amor, conforme o pregou e viveu o Divino Mestre, para que o homem se converta em anjo e a Terra em paraíso.

Saudando a era dos descobrimentos cosmonáuticos de tão profunda significação para a Humanidade terrestre, recordamos que o homem, em si mesmo, ainda é objeto de todo o carinho da Divindade, porquanto, embora impulsionada por foguetes a inteligência tenha vencido as barreiras cósmicas para contemplar o Universo além da gravidade da Terra, Jesus Cristo, há dois mil anos, em nome do amor, prevendo as sensacionais conquistas modernas, afirmava eloquente, sem ameaças nem alardes, que "na casa de meu Pai há muitas moradas..."

Vianna de Carvalho

55

Oração Intercessora

Jesus, Mestre e Senhor!
Recordando a simplicidade da tua manjedoura, venho, em nome das mães esquecidas, rogar misericórdia...

Em memória do teu nascimento, todos recordam os pequeninos aflitos, essas avezinhas estioladas no jardim da vida, oferecendo-lhes brindes coloridos e levando-lhes ternura especial de um só dia...

Eu, no entanto, recordo-me de outros seres que o mundo esqueceu e que são a razão da existência dos pequeninos: as mães!

Desejo suplicar, então, pelas mães enfermas que não podem, na tua noite, oscular o rosto róseo do próprio filhinho;

– pelas mães presidiárias que, através das grades, não alcançam os rebentos da própria carne;

– pelas mães adulterinas que coroaram o amor ilícito, recebendo filhos, embora desprezadas por todos;

– pelas mães solteiras que procuram reabilitação, sofrendo ao lado da carne da sua carne;

– pelas mães esfaimadas que contemplam os pequeninos sem terem o que dar;

– pelas mães que se viram constrangidas a entregar o filho a mãos alheias e mercenárias, para ocultarem a própria desonra;

– e, também, Jesus, por aquelas outras mães que, na noite, estarão vendendo emoções, buscando transformar a dor em gota de leite para o filhinho esquálido que se tornou a razão da vida.

Todavia outras mães há, ainda mais infelizes, por quem ouso rogar: aquelas que assassinaram o rebento do amor e, mais tarde, enlouqueceram de dor, vencidas pela própria insânia...

Oh! Amigo Celestial, são todas mães. Mães como a Santíssima que, entretanto, naufragaram no grande pantanal da vida.

Alonga o Teu Amor ante a evocação da manjedoura ornamentada de animais domésticos, onde estiveste, até nós outras que ainda demoramos na animalidade primitiva, distantes do verdadeiro discernimento e socorre-nos.

Lá fora vibram sinos em anunciação, cantando as suaves melodias da Tua vinda, e nós, as mães solitárias, encarnadas e desencarnadas, que acompanhamos os filhinhos mergulhados na dor, ajoelhamo-nos e voltamos a suplicar:

Nasce Jesus, nasce outra vez dentro de nós, para que a claridade da tua vida seja uma Boa-nova de bênçãos, no caminho de trevas em que nos demoramos!

Aura Celeste

56

Discernimento

Procure penetrar no espírito da Doutrina Espírita para que o discernimento manifeste o valor da fé inabalável que hoje lhe enriquece a vida.

Discernimento que o liberte de exotismos e crendices...

Discernimento para lutar contra as próprias imperfeições...

Discernimento para desculpar o ofensor, reconhecendo nele apenas um doente...

Discernimento para examinar os conceitos comuns e seguir os claros ensinos que o Espiritismo ministra...

Discernimento que explique o problema da dor, aclarando o panorama das aflições...

Discernimento que alimente a coragem para enfrentar obstáculos e transpô-los...

Discernimento para ajudar os outros, usando o instrumento da tolerância e da justiça...

Discernimento que faculte a intimidade com a oração...

Discernimento para falar e clareza para escrever...

Discernimento que o capacite para todas as lutas, submetendo-o às diretrizes da sã conduta...

É para esse discernimento que a Doutrina codificada por Allan Kardec nos convida, repetindo as lições do Mestre Incomparável.

Discernimento é luz que favorece a razão, apresentando o valor específico de cada coisa.

O século da cultura se tem caracterizado pelo "senso prático". Todavia, o "senso prático" só raramente expressa um "bom senso".

A torturante preferência pela mordomia do ouro e dos títulos honoríficos que o *espírito lúcido* de alguns elege como objetivo essencial da vida, significa invariavelmente escravidão e loucura.

O homem prático é livre.

Livre de recursos possuídos.

Livre de recursos possuidores.

Livre de ambições desvairadas.

Livre de inquietações obsidentes.

Com o discernimento o homem encontra o meio de dirimir dúvidas, selecionando os valores pelos quais deve envidar todos os esforços para os adquirir. No entanto, os valores do mundo têm apenas a significação que lhes damos.

Moedas, honrarias, especiarias seduzem... e matam.

Buscando-se, porém, as espécies imperecíveis, transforma-se a expressão de loucura em instrumento de felicidade e vida abundante.

Procure discernir, quanto lhe permitam as possibilidades, mergulhando o pensamento na luz que fulgura na verdade, mantenha o bom ânimo nas lides a que foi arrebatado e, seguindo as pegadas do Cristo, encontrará a alegria serena e calma que nunca cessará.

Carneiro de Campos

57
Condição de Felicidade

Você define felicidade como sendo fortuna fácil, família bem constituída, saúde impecável, prestígio social, amigos gentis, viagens frequentes, estações de veraneio em climas doces e, como não pôde ainda reunir todos esses ingredientes num prato suculento, queixa-se da vida, relaciona dificuldades, guarda azedume, conserva o cenho carregado.

Todavia, felicidade não é posse externa. É luz íntima.

Todo possuidor é atormentado pela posse.

Quem está saciado sempre busca acepipe exótico e extravagante para o paladar acomodado. Sem a satisfação interna que nasce do conhecimento que se liberta não há felicidade real.

Com muita propriedade afirma o refrão popular, que "o homem feliz não tinha camisa".

Não são as posses aparentes que estabelecem as bases da alegria legítima.

Contam que sábio rei mandou erigir, em terras de árvores frondosas e águas claras, suntuoso palácio para oferecer ao homem que se considerasse feliz.

Depois de examinar por dias a fio milhares de candidatos, defrontou-se com um jovem sonhador que se apresentava cioso do prêmio.

A morte nunca lhe visitara a casa; a saúde era como o ar que jamais lhe faltara; possuía uma esposa fiel e filhos robustos; guardava grandes somas e era por todos estimado qual príncipe ansiosamente esperado...

— Tens todos os requisitos do homem feliz — asseverou o bondoso monarca. — No entanto, não és realmente feliz. Não te poderei doar o palácio...

— Como? — inquiriu o moço.

— O homem feliz não guarda ambição — redarguiu o rei, sereno. — Se a tua felicidade te bastasse, meu prêmio não te fascinaria...

Em verdade, os bens aparentes são breves.

A saúde muda facilmente de lugar no domicílio orgânico; a fortuna se gasta rapidamente; a família morre; o prestígio desaparece; os amigos vão adiante; as viagens cansam; os climas se modificam.

Só há um tesouro que realmente felicita sem desaparecer: o conhecimento da verdade e a prática dela através do amor aos semelhantes.

Com muita justeza, portanto, o Mestre Jesus preconizou: "Buscai a verdade, e a verdade vos fará livres".

Pe. Natividade

58
Homenagem

Revejo-a, embora os anos que se dobraram, risonha e jovem, debruçada sobre a cama da ternura em que sua abnegação me embalava, cantarolando velhas baladas...

Ave implume, não conhecera o valor da mulher em cujo seio eu me agasalhara, sedenta de renovação, ao recomeçar a experiência carnal...

Você, no entanto, lá estava, no lugar dela, mãe da carne que não era a sua, a dar-se totalmente com os olhos fulgurantes quais estrelas no infinito da sua face recamada de amor.

Em suas mãos cheias de calos do labor rude, encontrei as moedas de carinho e a festa da vida ao alcance dos meus passos.

Suas lágrimas, suas dores, não me recordo delas. Você as escondeu, deixando para mim somente o festival do seu sorriso cândido e a sinfonia da sua voz veludosa.

Pela sua boca fluíram na direção dos meus ouvidos as pérolas das primeiras orações e as gemas dos sábios conselhos que seguirão sempre comigo. Você lutou e transferiu para mim os triunfos que não pôde ou não desejou fruir.

Tudo você fez para que o anjo da felicidade atapetasse o meu caminho de bênçãos e a musa da paz dourasse o céu dos meus dias com as nuvens leves da serenidade.

Enquanto eu estuava, vigorosa e confiante, seu corpo, antes robusto, definhava, seus cabelos esmaeciam...e um dia deslumbrei-me com a coroa de neve a lhe embelezar a cabeça altiva e estoica... Depois você partiu.

...Hoje, mulher e mãe, eu agasalho junto ao seio um anjo corporificado no meu filhinho e, colocando-o no leito de amor que lhe preparei, revejo o seu rosto, fitando-me, sorrindo, passado tanto tempo...

O lar é, verdadeiramente, a madre da Humanidade. E o mundo majestoso tem começo sem dúvida no coração da mulher que se converte em mãe.

A alva denuncia o dia, e a maternidade em clarinadas de amor canta a música sublime da Humanidade.

Desse modo, como esquecer o que você, humilde e apagada para o mundo, sofredora e combatida em mil circunstâncias, significa ainda hoje para mim?!...

Você continua sendo o sorriso da minha esperança e o lume da minha noite quando a dor me visita.

O amor que dedico a Jesus, o Sol dos nossos dias e noites, recebi-o através do seu amor.

Nunca a olvidei!

Em nome d'Ele, o Filho excelente, no *Dia das Mães*, quando todos levam as flores da gratidão à genitora, peço-lhe permissão para dizer com a alma em prece e o coração cantando saudades:

Deus a guarde no seu Reino, mamãe, celeste mensageira que me tomou dos braços do abandono para me alçar à glória da vida!

Amélia Rodrigues

59
Em homenagem ao codificador

A Europa ainda se encontrava galvanizada pelas doutrinas dos enciclopedistas, tais como Voltaire, Montesquieu, Cabanis, Condillac e pelo verbo eloquente de Honoré Mirabeau, Diderot, Desmoulins, os vates da Revolução... e se ouviam os ecos produzidos pelos gemidos das vítimas esmagadas nos "dias do terror" sob o galope infrene de Robespierre, Marat...

...Do fumo que se evolava na pira fumegante da guerra, Napoleão Bonaparte se agiganta, procurando domar com pulso forte o desenfreado corcel do poder. No entanto, ele próprio, logo depois, vencido pelas ambições irrefreadas, em plena volúpia, sagra-se imperador, oferecendo à França angustiada uma nova era de beligerância e agonias...

Dos Altos Cimos, porém, descem antigos luminares do pensamento, das ciências e das artes que buscam o exílio na veste carnal a fim de prepararem um ciclo diferente para a Humanidade sofrida.

Inscritos, "Os direitos do homem", nos Códigos da Justiça a golpes de aflição e banhados de sangue, era imprescindível, após tantas aberrações, que o homem se libertasse da tirania de si mesmo pelo conhecimento e pela razão, para alçar-se à liberdade pela justiça e pelo amor.

E nesse mesmo ano em que a França se ajoelha submissa ante o vencedor corso, em Lyon, um Espírito cerúleo se enclausura no domicílio celular, encarregado pelo Excelso Mestre para disseminar, na Terra, as bases da fé pura e raciocinada, como prólogo ao período do amor...

A Europa ainda inquieta e convulsionada agasalha inusitados e singulares fenômenos.

Da América emigraram ruídos insólitos que perlustram os salões, chamando a atenção, à busca de cidadania.

Curiosos e investigadores, convidados pela *novidade*, entregam-se ao prazer-divertimento, inquirindo as *mesas que falam*, comentando suas opiniões.

Charlatães afamados e médiuns desconhecidos, notórios intrujões e percipientes conhecidos, prestidigitadores profissionais e ingênuos experimentadores misturam-se na louca aventura, manipulados por mãos inescrupulosas e vulgares.

Nesse turbilhão, vindo da Escócia, aparece, entre outros, Daniel Dunglas Home, que passeia sua faculdade extrassensória pela Inglaterra, pela Rússia, em Paris, pela Itália, junto às cabeças coroadas de Nicolau II, de Napoleão III e da Imperatriz Eugênia, de França, Guilherme I, da Alemanha, da rainha Sofia, da Holanda, de príncipes e nobres de Florença, chamando ao seu círculo Elizabeth B. Browning, Thackeray, que se curvam ante a evidência da imortalidade da alma, nas invulgares demonstrações oferecidas pelo discutido sensitivo.

No mesmo ano de 1857, quando as portas das Tulherias se abrem para receber o famoso Daniel Home, procurando dar cobro ao abuso e à aventura medianímica, o Prof. Rivail, apresentando-se com o pseudônimo de Allan Kardec, afirma e apresenta, em *O Livro dos Espíritos*, roteiros novos e diretrizes seguras, depois de fastidiosos estudos e pesquisas intermináveis, nas retortas da mediunidade.

Com a Filosofia Espírita que surge, todo um ciclo se encerra e um período novo se apresenta.

Os fatos desmentem o empirismo racional e a velha Teologia. Formulações condicentes com tais fatos são apresentadas. E com estas a Filosofia se enriquece, a Ciência encontra valiosos subsídios e a Religião raciocina ante o império da Revelação Espírita.

"Vivem os mortos.

O túmulo é a porta de entrada para a vida.

O Além é continente da alma imortal.

Não apenas orações para redimir e salvar, mas ações edificantes e salutares.

Nem céu de eterno gozo nem inferno sem-fim.

Para ser útil a fé deve ser atuante.

Não mais endemoninhados, não mais proibições no intercâmbio espiritual.

Nem *bênçãos* humanas nem *maldições* no roteiro iluminativo das almas – clamam as Vozes.

A vigorosa doutrina apresentada por Allan Kardec – novo Hércules do pensamento – avança na direção do minotauro que defende, na furna a que se acolhe, o obscurantismo e a ignorância, proclamando o princípio imortal da vida e a comunicabilidade dos que transitaram pela morte no rumo da Eternidade.

E Jesus Cristo, o Excelente Filho de Deus, na Doutrina Espírita, ressurge consolando o alquebrado espírito humano e amenizando as agruras do roteiro por onde deambulam os corações.

Hoje, quando o Espiritismo, qual sazonado perfume dos Céus espraiado na Terra, impregna Espíritos e os dirige para Frente e para o Alto, evocamos o natalício do codificador, repetindo, com mil vozes beneficiários que somos do seu sublime trabalho:

"Allan Kardec! Lutador incansável a quem devemos a restauração do Cristianismo puro e sem jaça, Deus o abençoe!"

Leopoldo Machado

60

Em torno da fé

Disse o crente renovado pela fé:
– "Dificuldades se amontoam no meu caminho, no entanto, eu triunfarei no trabalho do Bem. Sofrimentos assinalam os meus passos, todavia, Jesus segue comigo e na sua trilha a dor é sempre uma bênção".

Disse o crente aclimatado à fé:
– Oportunidades de serviço não me faltam, no entanto, sinto-me desencorajado e fraco. Chamados do Senhor chegam-me ao coração a cada instante, todavia, Jesus mesmo sabe das impossibilidades que me cerceiam a esperança e as forças.

O primeiro vive a fé; o segundo acomoda-se à fé.

O crente renovado movimenta-se no campo da ação em múltiplos labores: é a mão que oferece auxílio sem alarde; é o coração compreensivo que atende sem ruído; é o amigo que favorece recursos socorristas sem algazarra; é o enfermeiro que medica enfermidades sem reclamações; é o orientador que norteia atormentados sem superioridade; é, em suma, o irmão de todas as horas que esclarece e ajuda sem cansaço.

O crente aclimatado revela-se, igualmente, em todos os momentos: no auxílio ineficiente, à base da reclamação; na palavra esclarecida assinalando queixas; no socorro precipitado sem continuidade; na atitude protetora que humilha; no serviço que presta com rispidez; na conduta, enfim, que mantém entre os companheiros de comunidade, exibindo sempre a palavra contundente e a atitude intolerante.

O primeiro, quando convidado ao trabalho, responde:

– "Estou pronto! Embora as minhas imperfeições, eu sei que o Mestre me chama e o trabalho cristão é o único meio de identificar-me com Ele."

O segundo, quando chamado ao serviço, resmunga:

– "Estou cansado! Tive um dia afanoso! Reconheço a bondade do Senhor para comigo, mas hoje não posso..."

Fé é luz interior.

Quem a carrega não a pode guardar "debaixo do módio, mas no velador" onde projete sua claridade, transformando-se em candeia viva a arder incessante.

Com o Espiritismo – Doutrina de ação por excelência – o crente se renova, dia a dia, vivendo a fé em todos os atos. Experimentando-o, passa a viver em permanente culto de serviço edificante, porquanto, com o Cristo que emerge dos fundos dos tempos, a caridade faz-se o selo de identificação dos corações no abençoado solo das imperecíveis realizações.

Foi por essa razão que Allan Kardec, o apóstolo lionês, afirmou: – "A caridade é a alma do Espiritismo. Ela resume todos os deveres do homem para consigo mesmo e para os seus semelhantes. É por isso que se pode dizer que não há verdadeiro espírita sem caridade. Porque se a fé cristã é Jesus em luz na alma do homem, a caridade é a luz de Jesus no coração da Humanidade inteira.

Descortinando novos horizontes para o mundo, a fé espírita brilha convidativa, renovando concepções em torno da vida e felicitando o ser.

Lins de Vasconcellos

61

Esperança

Como aragem dos Céus Ele chegou à Terra e vestiu de esperança os corações.
Escravos da criminalidade arrebentaram algemas poderosas e levantaram-se para a virtude com o auxílio d'Ele.
Atormentados de todos os matizes recuperaram a paz e rumaram confiantes graças ao socorro d'Ele.
Mulheres esmagadas pelo preconceito e espezinhadas em toda parte recuperaram o valor íntimo ao chamado d'Ele.
Crianças desvalidas e sofredoras ergueram-se para a vida, ouvindo a voz d'Ele.
Homens violentos e impiedosos adoçaram o coração diante d'Ele.
Senhores e servos, esposos e filhos, adversários e infelizes, doentes e estigmatizados pela aflição se renovaram para a vida, reunindo-se numa família depois d'Ele.
E as gerações do futuro abriram caminhos novos para o amor fascinadas pela vida d'Ele.
Ele era a esperança e fez-se Vida.

Desdenhou os que renteavam com o poder, vinculados à posse, mas não os esqueceu, oferecendo-lhes oportunidades no Seu Reino.

Esteve nas vizinhanças da opulência e contemplou os laureados da vida física sem subserviência nem submissão, ensejando-lhes a Mensagem redentora.

Mas, Ele mesmo vestiu a túnica da humildade, calçou as sandálias da pobreza total e construiu com os instrumentos do amor perfeito e da dedicação absoluta uma Era inolvidável que o tempo não consome nem a Humanidade esquece...

Foi supliciado e permaneceu confiante.

Esteve afligido e demorou confiante.

Ficou abandonado e continuou confiante.

Morto e ressurgido como claro sol depois de noite espessa, voltou confiante à Vida.

Por isso Ele é a esperança.

Enquanto vibram no ar velhas baladas e cantam nos corações doces melodias, vestindo a Terra de alegrias com a evocação do Natal de Jesus, a face da dor espia e o alquebrado corpo da aflição contempla os que passam no carro festivo da ilusão, carregando sonhos e sobraçando enganos...

...Esperam que, na Data Feliz, você se volte para eles, também seus irmãos, antes que se encaminhe para a mesa lauta ou dilate excessos para os que privam do aconchego da sua família.

São meninos humildes que o calor do desespero queima...

São mulheres anônimas que o abandono vence...

São homens sofredores que a miséria aniquila...

São corações e mentes já sem esperança, que se renovam, na expectativa emocionante do Natal, e aguardam...

Se a musicalidade envolvente do Sublime Nascimento encontra acústica nos seus ouvidos, vibrando a mensagem de amor e paz para a Terra, dilate a emoção e siga até esses para quem Ele veio, cantando-lhes com *feitos* a melodia que lhe chega e fazendo-os felizes pelo menos por um momento.

O Natal de Jesus é perene esperança que se repete a cada ano e todo ano, vestindo corações com a festa de bênçãos e amor para as cansadas emoções do homem na Terra angustiada.

Joanna de Ângelis

Minibiografias dos autores espirituais

AMÉLIA RODRIGUES

AMÉLIA Augusta do Sacramento RODRIGUES – Eminente professora baiana, poetisa, tradutora e conferencista, inspirada escritora e dramaturga acidental, nasceu em Oliveira dos Campinhos, Santo Amaro (BA), em 26 de maio de 1861 e desencarnou em 22 de agosto de 1926, em Salvador. Católica praticante e mestra excepcional, deixou imenso legado de sabedoria, amor e retidão moral a quantos compulsam a História da Bahia.

LINS DE VASCONCELLOS

Dr. Arthur LINS DE VASCONCELLOS Lopes – Inesquecível agrônomo, nascido no dia 27 de março de 1891, na cidade de Teixeira, na Paraíba, e desencarnado no dia 21 de março de 1952, em São Paulo. Trasladado para Curitiba (PR), sua cidade de *adoção*, tem os despojos inumados no Sanatório do Bom Retiro, naquela cidade. Foi o Dr. Lins de Vasconcellos espírita de escol, a cujo trabalho, ao lado de outros valorosos lidadores, se devem o PACTO ÁUREO DE 1949 (Unificação dos Espíritas Brasileiros), a Caravana da Fraternidade, que visitou quase todo o Brasil, e inúmeras entidades espalhadas por toda parte do solo brasileiro. Fundador de *Mundo Espírita*, a esse Órgão deu os melhores esforços do seu espírito privilegiado. Polemista, escritor e jornalista emérito, foi, antes de tudo, ESPÍRITA, na acepção kardequiana, o que equivale a dizer CRISTÃO verdadeiro.

AURA CELESTE

AURA CELESTE – Pseudônimo da incomparável senhora Adelaide Augusta Câmara, médium de excepcionais faculdades, que nasceu a 11 de janeiro de 1874, na cidade de Natal, capital do Estado do Rio Grande do Norte. Vindo residir no Rio de Janeiro, frequentou as memoráveis sessões do Dr. Bezerra de Menezes, antes de consorciar-se com o Dr. Abílio Soares Câmara. Depois do matrimônio, passou a participar dos trabalhos do "Círculo Espírita Cáritas", dirigido por Ignácio Bittencourt. Conferencista, poetisa, contista, deixou valiosa bibliografia espírita, na qual se destacam os admiráveis *Ditados do Além-túmulo*. Em 1927 inaugurou o "Asilo Espírita João Evangelista", fundado desde 1923 e *destinado a abrigar meninas e senhoras desvalidas*. Desencarnou a 25 de outubro de 1944.

CAÍRBAR SCHUTEL

CAÍRBAR SCHUTEL – Espírita missionário, nasceu em 22 de setembro de 1868, na cidade do Rio de Janeiro. Jornalista e polemista vigoroso, fundou o jornal *O Clarim* e a *Revista Internacional do Espiritismo*, na cidade de Matão, inaugurando a era do Espiritismo pelo rádio, em memoráveis conferências hebdomadárias realizadas na cidade de Araraquara (SP). Escritor cristalino, seus livros são repositórios de sabedoria cristã-espírita do mais alto valor. Desencarnou em Matão-SP, no dia 30 de janeiro de 1938.

DJALMA MONTENEGRO DE FARIAS

Prof. DJALMA MONTENEGRO DE FARIAS – Reencarnou na cidade de Recife, em 9 de outubro de 1900, ali fazendo o seu "Curso de Humanidades". Foi orador eloquente, jornalista e escritor valoroso. Lecionou na Escola Normal do Estado de Pernambuco e na Escola de Agronomia. Contador, foi diretor da Fazenda Municipal e prefeito (interino) da capital.

Exerceu a presidência da Federação Espírita Pernambucana nos períodos de 1927/28, 1930/33, 1934/50.

Escreveu o livro *Ensaio sobre a reencarnação*.

Desencarnou no dia 6 de maio de 1950, em Recife.

EURÍPEDES BARSANULFO

EURÍPEDES BARSANULFO – Muito justamente cognominado o "Anjo Sacramentano", nasceu em 1º de maio de 1880, na cidade de sacramento, Estado de Minas Gerais. Médium de raras e peregrinas faculdades, Eurípedes legou à posteridade os mais belos exemplos de amor e honradez a serviço de Jesus. Fundou e dirigiu por muitos anos o "Colégio Allan Kardec" (em 1º de abril de 1907 procedeu à sua inauguração, dois anos após a fundação do "Centro Espírita Caridade e Esperança"). Exímio polemista e jornalista renomado, toda a sua vida foi um hino de amor à verdade e ao dever. Desencarnou na mesma cidade de Sacramento, em 1º de novembro de 1918.

FRANCISCO SPINELLI

FRANCISCO SPINELLI – Este valoroso trabalhador nasceu a 31 de dezembro de 1893, na localidade de Sala Consilina, província de Salermo, Itália. Após servir laboriosamente à Doutrina Espírita, em Bom Jesus (RS), por mais de uma vez foi presidente do "Centro Espírita Amor de Jesus", naquela cidade. Transferindo residência para Porto Alegre, exerceu a Presidência da Casa Mãe do Espiritismo gaúcho, foi diretor da "Revista Allan Kardec", do "Instituto Espírita Dias da Cruz" e outras muitas... Tanto se dedicou ao Movimento Espírita itinerante que foi carinhosamente cognominado "Caixeiro Viajante do Espiritismo". Foi um dos mais ativos promotores do Movimento de Unificação, que alcançou o seu dia máximo a 5 de outubro de 1949, data da assinatura, na FEB, do Pacto Áureo. Participou da "Caravana da Fraternidade" em visita aos estados do Norte e Nordeste, ao lado de Leopoldo Machado, Lins de Vasconcellos, Carlos Jordão da Silva. Por terceira vez, em março de 1955, foi reconduzido à Presidência da Federação Espírita do Rio Grande do Sul, vindo a desencarnar em Porto Alegre, às 4h20 horas da madrugada de 7 de outubro desse mesmo ano.

JOANNA DE ÂNGELIS

JOANNA DE ÂNGELIS – Pseudônimo de abnegada religiosa baiana. "Convidada, no Além-túmulo, a participar do Movimento de renovação da Terra, vem se dedicando ao estudo e à divulgação do Espiritismo ou Cristianismo restaurado em sua pureza primitiva, tendo-se incorporado à falange dos instrutores espirituais" – essas novas "Vozes dos Céus" –, encarregados da sementeira da luz e da esperança entre os homens.

JOÃO CLÉOFAS

JOÃO CLÉOFAS – Médico cardiologista paulistano, cuja identidade por motivos óbvios foi ocultada.

CARNEIRO DE CAMPOS

Dr. José CARNEIRO DE CAMPOS – Nasceu na cidade do Salvador, em 1854, tendo desencarnado na mesma cidade, no dia 20 de maio de 1919. Mestre dos mais amados do seu tempo, foi catedrático de Anatomia Descritiva, na Faculdade de Medicina da Bahia. Fez brilhantes cursos de especialização na Europa, com os melhores mestres da época.

JOSÉ PETITINGA

JOSÉ PETITINGA – Antonomásia pela qual era conhecido José Florentino de Sena. Nasceu na fazenda "Sítio da Pedra", margem direita do Paraguaçu, termo de Monte Cruzeiro, comarca de Amargosa, Bahia, no dia 2 de dezembro de 1866.

Poeta de grande inspiração, abraçou desde muito cedo a carreira comercial. Fez-se espírita aos 24 anos e o seu verbo eloquente e claro lançou luz inconfundível nos Espíritos que tiveram a honra de privar com ele.

Profundo conhecedor da língua portuguesa, dele disse César Zama: "Sobre Latim é comigo; sobre Português é com Petitinga.".

Fundou a União Espírita Baiana, a 25 de dezembro de 1925, tendo sido sempre eleito seu presidente e nos últimos anos por aclamação unânime. Desencarnou em 25 de março de 1929, em Salvador (BA).

LÉON DENIS

LÉON DENIS – "O Apóstolo do Espiritismo", como o cognominou com muita propriedade Gaston Luce, nasceu no "lugarejo denominado Foug, situado nos arredores de Toul, na França", a 1º de janeiro de 1846. Emérito escritor, médium de admiráveis faculdades, verdadeiro poeta do Espiritismo, foi autodidata, tendo conhecido o codificador na cidade de Tours, numa das suas visitas de divulgação do Espiritismo, nos dias difíceis de Napoleão III. Infatigável defensor e propagador do Espiritismo, foi jornalista e escritor valoroso, tendo oferecido vasta e rica bibliografia à Doutrina. Desencarnou em 12 de abril de 1927, em Tours (França).

LEOPOLDO MACHADO

LEOPOLDO MACHADO Barbosa – Esse insigne pregador espírita nasceu em 30 de setembro de 1891, em Capa Forte, no Estado da Bahia. Poeta, escritor, polemista intimorato, jornalista, fundou o "Albergue Noturno Allan Kardec", o "Ginásio Leopoldo" e, em companhia da esposa, a excelente Marília, o "Lar de Jesus", todos em nova Iguaçu, Estado do Rio de Janeiro. Foi o inesquecível incentivador das Mocidades Espíritas e promotor do 1º Congresso de Mocidades e Juventudes Espíritas do Brasil, no Rio de Janeiro, em 1948. Muito lhe deve o Movimento de Unificação, membro ativo que foi da Caravana da Fraternidade que percorreu o Brasil de sul a norte, divulgando o "Pacto Áureo" de 1949. Pregou por quase todo o território nacional, tendo sido invulgar disseminador dos superiores conceitos espíritas. Desencarnou em Nova Iguaçu, no dia 22 de agosto de 1957, no "Lar de Jesus".

VIANNA DE CARVALHO

Manuel VIANNA DE CARVALHO – Engenheiro militar, bacharel em matemática e ciências físicas, violinista sensível, nasceu em 10 de dezembro de 1874, na cidade de Icó, no Ceará. Espírita de escol, conferencista de eloquência rara, articulista e polemista arrebatado, divulgou o Espiritismo por quase todo o Brasil, fundando sociedades e sustentando o Movimento com a sua palavra de sabedoria e fé onde a intolerância se fazia mais cruel, dedicando-se quase que inteiramente à Causa Espírita. Desencarnou a bordo do vapor "Íris", no dia 13 de outubro de 1926, sendo sepultado em Salvador, Bahia.

PE. NATIVIDADE

Manuel da NATIVIDADE de Maria (PE), nascido a 8 de setembro de 1845 e falecido a 1º de janeiro de 1822. Valoroso sacerdote da Igreja Católica, na cidade do Salvador, caracterizado por um Espírito eminentemente cristão, cuja vida de devotamento aos sofredores das zonas dos "Alagados" dele fez um verdadeiro missionário da caridade e do amor. Desencarnou sobre humílimo grabato, em modestíssimo barracão de tábuas, aos fundos da Igreja N. S. dos Mares, em extrema pobreza.

SCHEILLA

SCHEILLA – Enfermeira alemã desencarnada aos 28 anos em decorrência do mais violento ataque aéreo em julho ou agosto de 1943, na cidade de Hamburgo (Alemanha), no campo de batalha, enquanto socorria os feridos.

Anotações

Anotações

Anotações